有時他們回家
亦舒

www.cosmosbooks.com.hk

書　名　有時他們回家　**作　者**　亦　舒

出　版　天地圖書有限公司
香港皇后大道東109-115號智群商業中心十三字樓
電話：25283671　傳真：28652609
香港灣仔莊士敦道三十號地庫/一樓（門市部）
電話：28650708　傳真：28611541
九龍彌敦道九十六號（加連威老道口）（門市部）
電話：23678699　傳真：23671812

印　刷　亨泰印刷有限公司
柴灣利眾街德景工業大廈十字樓
電話：28963687　傳真：25581902

發　行　香港聯合書刊物流有限公司
香港新界大埔汀麗路36號中華商務印刷大廈3字樓
電話：2150 2100　傳真：2407 3062

出版日期　二OO七年七月/初版・香港

（版權所有・翻印必究）
©COSMOS BOOKS LTD.2007

這是一個初夏下午，大考季節，應子成努力替兩個初中生補習歷史，她把十一至十五世紀十字軍東征，爭奪耶路撒冷當作故事來講，希望那兩個頑皮學生會有點記憶。

「話說十字軍在君士坦丁堡附近遇上了沙拉丁大帝，苦戰三日三夜，十字軍大敗，俘虜被賣作奴隸，因人數眾多，價錢大賤，每名十字軍只值一隻拖鞋……」

頑童聳然動容，「這是真的嗎？」

「都記載在書本裏，看。」

「啊！這些人結果可回得了家？」

子成一怔，她可沒想到這一點，被學生提醒，倒是惻然，「我想不。」

「他們可有改信回教？」

「不得而知。」

頑童說：「時間到了，下課吧。」

「你們對考試有幾成把握？」

「相信肯定有七成。」

子成略覺安慰，叫他們拿丙級已像拉牛上樹。

子成啟門讓他們下課，「你們媽媽來了沒有？」

子成看到銀色四驅車已停在路邊，可是區太太卻喊出來：「我到轉角超級市場買些糧食，你們在老師園子裏玩十分鐘。」

區太太家裏還有兩個小的，每日忙得無頭蒼蠅似，應子成只好大聲答：「沒問題」。

兩個男孩追上去，「媽媽把鎗扔給我們。」

兩把玩具長鎗自車窗扔出，四驅車飛馳而去。

子成撿起鎗，「噫，這是漆球鎗，別在這裏玩，我不想草地打得一搭搭漆印。」

兩個孩子已開始追逐瞄準，嘴巴裏發出「得得」聲，模仿自動步鎗聲響。

子成歎口氣，盼望區太太速速回轉。

她正站着觀望，兩個學生撲過來，她閃避不及，被跘倒在草地上，掙扎起來，看到隣居柏老太太站在不遠處。

子成拍拍身體，「對不起柏太太，吵到你打中覺？」

柏老太若有所思，她一頭銀髮梳理整齊，還抹着大紅唇膏，真是一個漂亮的老太太。

「不，不，」她回答：「只是，孩子們，請不要玩戰爭遊戲，戰爭即殺人。」

兩個孩子收起長鎗，笑嘻嘻，不出聲。

柏老太淒然低頭，「謝謝你們。」

這時，區太太回轉，兩個孩子跳上車去，臨走終於忍不住，瞄準一隻烏鴉，打了一鎗，漆球應聲炸開，濺在牆壁上，像炸開一朵黃花。

孩子們嘻笑着隨車子走了。

子成走近，「柏太太，你好嗎？」

柏太太抬起頭，「應小姐，你有時間否，過來喝杯茶。」

子成答：「我有學生來補習算術及英語。」

「你真能幹，那麼改天吧。」

「你走好，柏太太。」

老太太轉身走回家，一轉彎，被松樹擋住身影。

子成的妙齡女學生開着紅色歐洲小跑車來到。

打開書籍，來自台北的少女說：「這個時候，我家附近的桂花巷香氣撲鼻。」

她明顯地想家。

子成檢查她功課，「選詩十首，寫讀後感，你挑選哪幾首？」

「詠水仙花，我可否將你比作一個夏日，聽聽夜鶯……」

子成說：「慢着，有一首詩：在弗蘭達田裏，罌粟花在風中搖曳，一行一行——」

少女說：「那是一首形容戰爭殘酷的詩，我不喜歡。」

子成想一想，「你說得對。」

「一行一行的罌粟花，代表作戰軍人的鮮血，多麼可怕。」

「讓我們做拜倫的『但是你那素心，拒絕記憶眾所周知的瑕疵』……」

「應老師，我真喜歡你，你懂得潛移默化。」

子成微笑，「真的有那麼好？」

「家母囑我向你學習，科科一百分。」

「我何嘗拿過一百分，我不過是中人之姿。」

老師與學生相視而笑。

子成向少女略為解釋詩中含意，作者當時心情，以及對後世影響之類。

少女說：「老師有無發覺西方國家重視文學。」

「他們重視『我國』，但凡他們擁有的，即是全世界最好，連感恩節都是最重要的日子之一，這叫敝帚自珍，態度完全正確。」

少女寫了兩段，子成替她改了一些文法及標點錯誤，「進步多了，」她讚她，「很快不需要我。」

子成勺出兩杯冰淇淋。

園丁來了，剪草機軋軋聲，子成側頭聽了一會，只覺寂寥，不知不覺，與曾大品分手已經大半年，從此聽不到他爽朗笑聲。

大品從軍去了。

身後有聲音傳來：「應老師，我走了。」

子成回過神來，送學生出門，「小心駕駛。」

小跑車駛走，子成看看手錶，才四點多，正是喝下午茶的好時間。

她輕輕走到柏太太門口，敲敲門，沒人應，「柏太太，」她喊她，發覺門沒關緊，啊，危險，已經過了夜不閉戶的時節了，治安雖仍不差，可是門戶定要謹慎，子成推門進去。

「柏太太。」她一路揚聲。

子成立即看到柏太太靠在安樂椅上，彷彿失去知覺，子成一驚，過去替她把脈。

幸好，柏太太只是盹着，她睜開雙眼，「誰？」

「是我，應子成。」

「哎，你看，人老了，不行啦。」

「不不，你很好，天氣燠熱，我也渴睡，我替你做杯檸檬茶。」

子成走進廚房，發覺電器式樣古老，現在又開始流行這些五六十年代的復古式樣了。

她做了冰茶，捧出去給柏太太。

柏太太喝一口，吁氣。

這還是子成第一次上柏家，她只知柏太太獨居，這半年她時時想：應子成你若弄得不好，柏太太就是你的前車。

只見她家居佈置古色古香，考究紗邊窗簾，碎花牆紙、桃木傢具，水晶瓶子裏插着玫瑰花……

「別客氣，請坐。」

鋼琴上放着銀相架，其中一張黑白照片內有一個年輕英俊男子，穿着皮夾克，戴着空軍帽子，分明是名飛機師，他劍眉星目，神采飛揚，子成忍不住問：「請問這是誰？」

柏太太答：「家兄雷奇偉。」

「我聽過這個名字。」

「他是二次大戰最早出任的幾個華裔空軍之一。」

子成心一動，抬頭問：「他可有回家？」

柏太太黯然，「不，他沒有回來，他在太平洋上空被日軍擊落，終年十九。」

子成一震，悲哀心酸。

「但是我另外一個兄長雷英偉卻凱旋回國，有時他們會得回來。」

柏老太微微笑，彷彿那已是最大安慰。

「他健康好嗎？」

「謝謝你，他很健康，你想認識他嗎，我可以介紹你們見面。」

子成立刻站起來，「這真是我的榮幸。」

「我們住得近，英偉若來探我，我叫你一聲。」

子成收拾茶具，走回小巧可愛復古廚房，把杯碟洗乾淨，她看到牆上掛着英女皇伊利莎白二世的加冕瓷像，那年，女皇只有廿四歲。

這個廚房像時間錦囊內的文物，子成嘖嘖稱奇。

她告辭回家。

應家新建，才七八年歷史，簇新，廚房用大量大理石，地板怕滑，特別處理過，全部不銹鋼用具，井井有條，可是，少了種親切感。

應家三口有時在早餐間開會。

應太太是那種五十已過，但是決不言棄的時代女性，長期節食，因為永遠吃不飽，力氣總不夠，又覺得冷，有點神經質，雙手微微顫抖，不大願講話，怕頭痛。

那天，她叫住女兒，「子成，你爸有話說。」

子成記得她詫異，「爸回來了？」

「昨晚十二時半到，今晚十一時又要送他去飛機場。」

子成微笑，「爸像做賊，月黑風高來去。」

一轉頭，看到父親應鉅容已經站在門口。

應先生斟一杯黑咖啡坐下，對女兒說：「把成績表拿出我看。」

應太太着急，「都大學二年生了，何來成績表，你自己查校方網頁記錄不就可以，有話好說了。」

子成不出聲。

應先生咳嗽一聲，「子成，爸媽不贊成你與曾大品來往。」

子成輕輕回答：「都廿一世紀了，父母為何仍然干涉我的感情生活。」

「因為父母永遠想保護子女，」應太太說：「你以為廿一世紀世人思想已進步得丟下往日包袱？還不是一貫的道德標準。」

應先生按着愛女的手，「子成，你自小到大，父母對你千依百順，媽媽為了你的功課勞作，時時忙通宵，大雪大風，開車來回接送，這次當作慈母求你，你且莫理她有理無理，抑或更年期失調已經逼瘋，你做得到就順她一次，這不算過份吧。」

子成想到她是早產兒，自醫院回家才四磅多，叫父母擔足心事，她不禁淚盈於睫，「是，母親。」

應太太鬆口氣，過來緊緊擁抱女兒。

應先生講完那番話就走了，他又丟下一句話：「太太你，還有子成，兩人都換新車吧。」

從此，子成與大品疏遠。

這時，子成想起，仍覺心酸。

她伏在早餐桌上，默不作聲。

應太太進來看到，憐惜地撫摸女兒頭髮，搭訕說：「我少年時也這樣一頭黑鴉鴉好髮，又厚又滑，多人羨慕。」

子成轉過頭來。

「蘭登沒找你？」

「他拉大隊去滑水，玩得太瘋，我沒興趣。」

應太太又問：「凱汶呢？」

「他祖父母自台中來，他天天陪他們，何家最孝順。」

應太太說：「那你陪我出去購物散心，我幫你添新衣。」

子成卻問：「媽，大舅舅可是參予過韓戰？」

應太太詫異，「你怎麼問起這個來？」

「我在寫一個報告。」

「關於戰爭？你讀的可是人文系。」

「關於軍人在前方的心態。」

應太太歎口氣，「你這孩子真古怪。」

「是，你與爸一直那麼說。」

應太太躊躇一下問：「曾大品有無纏住你？」

子成聲音轉冷，「他為什麼要涎臉癩皮，他不是那樣的人。」

「你們還有聯絡嗎？」

「已經沒有來往。」

應太太放心，換個題目，「你爸說，你若想讀法律，還來得及。」

子成說：「我出去一下。」

「記得回來吃飯。」

子成把簇新跑車開出去會好友蘇銀。

她發牢騷：「與父母感情越來越疏遠，我知道父親有女友，比我大幾歲，清華大學管理科畢業生，相貌清麗，真正不講錢，可是母親佯裝不知，我也不便捅穿，一家才三口子，爾虞我詐，沒意思。」

蘇銀說：「你還在氣大品那件事吧。」

「不氣，只是無奈，他們嫌他是車房工人。」

蘇銀笑，「他們可知小車房主人收入比大學教授高十倍，在社會上也是有用的人。」

子成不出聲，輕輕歎口氣。

「你可有這好人的消息？」

「朋友的朋友說，他從軍去了。」

「什麼，啊，這麼看他比你更傷心，索性走到遠遠，他此刻在何處？」

「派往阿富汗協助維持和平。」

蘇銀又啊一聲，「你應與他通訊，給他鼓勵。」

子成搖頭，「作為子女，至少欠父母這個：做得到的話，勿叫他們痛心。」

「那些擔憂，全屬不必要。」

「子女毋須追究因由錯對。」

「愚孝，」蘇銀不以為然。

子成答：「所有的愛都是愚昧的。」

兩個年輕女子欷歔之下吃完整碟子香蕉船冰淇淋。

子成忽然問：「你讀世界歷史，歷來哪場戰爭最殘酷？」

「哪場戰爭不殘酷？」

「或許是南北戰爭中蓋迪士堡一役，據說戰場至今有鬼魂出沒哀嚎，那場戰鬥中死亡人數迄今超過美國陣亡兵士總數。」

「最慘烈是淮海戰役。」

「是拿破崙北征莫斯科。」

「二次大戰諾曼地登陸。」

「五十年代韓戰。」

「天啊，數之不盡。」

「還有一次大戰一九一四至一九一七年間在比利時伊必勢戰死的七萬名士兵。」

「越戰，統共不必要的戰爭。」

「漢武帝大戰匈奴二十年。」

「我以為人類厭惡戰爭，愛好和平。」

子成答：「只有母親們痛恨戰爭，領導人往往不惜一戰。」

蘇銀說：「中日戰爭，八年抗戰。」

「別提那場仗，家父一提到某方至今死心不息不停挑釁就光火，五十多歲的他說要從軍去打仗。」

蘇銀歎口氣：「小孩新年願望是新衣新車，大人只希望世界和平。」

子成側起頭，「還有米缸上的常滿兩字，我從不知道人類可以有這樣卑微的願望。」

蘇銀說出一件事：「華人常說寧為太平犬，我家對面，忽然出現四組工作人員：警局、渠務部、工程部，以及保護動物會，用機器挖掘一日一夜，原來一隻小狗誤墮溝渠哀鳴，有人報警，小狗救出後終告不治，你想想，如此盡力，犬命可貴。」

子成說：「或者我們應該讀建築美術這類愉快課程。」

蘇銀說：「無論付出什麼代價，都要避免戰爭。」

子成答：「所以我不會與家母打仗。」

蘇銀微笑，「當你五十歲之際，孤零零一人，深夜想起大品強壯肩膀，你會後悔。」

「嘩，講得那麼遠。」

「家母說，五十歲很快會得來臨，還有六十七十。」

蘇銀與子成臉上忽然變了顏色，再也笑不出來。

子成喃喃說：「一朝春盡紅顏老，還有紅顏彈指老，剎那芳華。」

蘇銀回過神來，「我帶你去一個熱鬧場所增加見聞。」

「何處？」

「跟着我，保證你眼界大開。」

蘇銀把子成帶到一家私人會所，只見大廳外貼着「極速約會」四字，招待員笑着迎上，「兩位小姐，每位入場費兩百。」

子成向裏邊看了看，只見人頭湧湧，卻沒有音樂酒水舞池，她詫異問：「這麼貴？」

蘇銀笑，「男生要五百呢。」

取了票子，貼上號碼，她把電話號碼留下，招待員把她們帶到椅子前坐下，這樣指示：「每次十分鐘，你可以盡量與坐在你對面的男生交談，溝通，鈴聲一響，男生會換人，女生不必動，明白嗎？」

子成大吃一驚，誰想出這種玩意？

蘇銀說：「比網絡交友安全得多了，他如果喜歡你，會把你號碼記下，知會主辦人，他們會通知你。」

「我吃不消。」子成站起。

蘇銀把她按下，「我到那個角落去坐，半小時後來找你。」

只聽見鈴聲一響，立刻有人坐到她對面。

因覺極度荒謬，子成忽然大笑起來，蘇銀說得對，這是一種娛樂，花點入場費尋開心觀眾生相何樂不為。

坐她對面是一個禿了前額的中年人，「我叫保羅，你呢？」

子成答：「我叫瑪麗。」

「我喜歡你的笑容，你看樣子只有二十歲，為什麼到這裏來找男友？」

保羅約四十餘歲，面貌端正，可是，誰也不知他底細，他可能是虐妻者，連環殺手，或是老好人，忠誠朋友。

子成問：「你又為什麼來這裏？」

「因為我是一個機械工人，環境接觸不到女性，五年前離婚，至今孑然一人。」

子成問：「你怎麼看戰爭？」

「什麼？」他摸不着頭腦。

「請問你與你親友可有參予過戰爭？」

保羅怔住，他緩緩離座，「對不起，瑪麗，那邊有位與我年紀比較接近的小姐，我過去一下。」

子成知道保羅當她神經病。

這時她面前坐下一個廿餘歲的年輕男子，「我叫阿積。」

「你好，積克，」子成問：「國家需要你，你會從軍嗎？」

那積克瞪着她，「小姐，我不過來找女伴，短期、長期、同居，都可以，我不

是來做心理測驗。」

子成說：「Pass。」

積克微慍，「你是什麼態度。」

他站起，又輪到下一位，子成開始覺得該項遊戲有意思，話不投機三句多，何用整晚對着吃苦，極速約會才是最佳方式。

這個人問：「你對戰爭有興趣？」

子成看他，他約三十歲，戴眼鏡，一副書獃子模樣，身段瘦削。

「我不理解戰爭，爭什麼？」

「資源，從前是水源與耕地，今日是能源與領土。」

有意思。

「可是生命呢，生靈塗炭。」

他笑了，「我的名字是富利沙。」

這時鈴聲大作，被逼換人，他記下子成的號碼。

蘇銀走近，「怎樣？」

子成問：「真有人在這裏找到伴侶？」

蘇銀說：「不如你放棄寫前線軍人感受這個淒慘題目，改寫都市男女找約會的苦況。」

「好似真的有點絕望了。」

蘇銀歎口氣，「你看我們多可憐多寂寞。」

子成說：「我累了，我想回家。」

這時主持人在麥克風前說：「各位先生小姐，夜未央，請努力，還剩六十分鐘。」

蘇銀苦笑。

子成問：「你遇到什麼人？」

「我不過來尋歡作樂。」

子成挽起她手臂，離開那個會所。

子成送蘇銀回家，「獨居，當心點。」

「彼此彼此。」

蘇銀說得對，極速約會比網絡約會略好，至少見得到真人，他們都有誠意親身出現。

母親尚未休息，在整理舊照片。

應太太說：「一整個暑假你都像很無聊。」

子成輕聲說：「我想搬出去住。」

母親生氣，「好，那麼這頭家解散也罷，我回本家，你租公寓。」

火藥味甚重，子成怕擦鎗走火，因反口說：「我是講，聽說玉瑩她們搬了出去。」

「玉瑩玉潔她們怎麼同？她們不便與繼父同住，當然只好搬走。」

「那，我休息了。」

子成速速回房，掩上門，鬆口氣。

電視新聞中看到英女皇率領群眾慶祝海軍上將納爾遜大勝西班牙艦隊二百週年。

這一仗打得極之慘烈，當年西班牙揚威四海，東征西討，與法國聯合，組成艦

隊，挑戰英國，船隻排一字長蛇陣，可是納爾遜出奇謀，反而排直線對抗，如一枝箭般射向西班牙艦隊，由他掌舵的維多利亞號直搗黃龍，攻陷敵方，從此建立英國海軍地位。

可是納爾遜胸部中彈，死在船艙，從英雄化身為烈士。

戰爭中有許多神奇傳説，像法國將領在甲板上用望遠鏡張望，被英軍一鎗打落，水手拾起，連水手的頭也一併轟掉。

當然，説這些故事的人全然不記得那水手也是一個人，父母的兒子，女子的丈夫，弟妹的兄長，戰爭就是這點可怕，它滅絕人性。

納爾遜與拿破崙都個子矮小，不知怎地，如此英勇。

不久，子成靠在床上睡着。

她夢見大舅舅笑着問：「你想知道韓戰什麼事？」

子成想了很久，只問了一句：「天氣冷嗎？」

大舅舅笑出聲來。

子成一覺驚醒，天色已亮。

應太太敲門說：「你大舅舅說，下月初來探訪我們。」

子成拍手，「啊，太好了。」心想事成。

「還有，鄰居柏老太太找你，請你下午過去喝茶，子成，你到市集挑些考究點的鮮花水果糕點送去，不可空手。」

「是，是。」難怪老外對華裔一日比一日好感。

子成先到球場踢了一回足球，大聲喊大腳踢，筋疲力盡，出盡心中烏氣，淋個熱水浴，反而神清氣朗。

她收到一個電郵。

「你好，我想念你，不能忘懷你，我們在營地，十分忙碌，工作也有意義，唯一美中不足，我軍深綠色系迷彩服飾為配合溫帶森林，可是阿富汗沙漠是灰棕色，反而突出我們身份，十分不便，又沙漠深夜繁星像深藍色絲絨上無數鑽石，各星座清晰可見，特別是你喜愛的阿發山托利，即最近地球另一顆星；永遠是你的朋友大品」。

子成鼻子發酸，眼淚湧出。

接着，另外一封電郵出現：「應子成，你不認識我，我名范朋，是大品同營隊友，我負責電訊，我倆很談得來，大品每晚都寫日記，他的日記以書信方式，寫給女朋友，那是你吧，大半年過去了，我實在忍不住，設法找到你的電郵號碼，把他比較完整短信，向你發佈，子成，望你體貼一個遠在坎達哈沙漠軍人的情懷。」

子成讀完，雙手掩臉。

忽然忍不住，伏在案上，痛哭失聲。

這時對方傳來一張照片，是大品站在軍用吉甫車前拍攝，粗眉大眼的大品風采依然，令子成吃驚的是那處惡山惡地，乾涸貧脊，灰黑猙獰，全無一棵樹一片草。

這時母親在門外說：「子成，柏太太找你過去。」

子成抹乾眼淚，撲一點粉，拎着禮物去做客人。

可笑啊，子成到處查訪軍人在前線的情況，卻想不到大品也是其中之一呢。

門鈴一響便有人來應，一位老先生對她說：「你好，你就是應小姐吧，聽說你想認識我。」

子成看着他，她從未見過那麼英俊的老頭子，一定有八十多歲了，可是高大、

挺直，白髮白鬍髭，笑起來一臉皺紋，整個人仍然發散着英姿，只有軍人，老了之後可以維持如此神俊。

他伸出大手與子成相握。

柏太太笑着說：「進來喝茶，子成，你想知道什麼，請儘管問。」

大家坐下，寒暄幾句。

子成整理一下問題，索性開門見山問：「害怕嗎？」

雷老先生的臉色穩重，「當年我十八歲，派到歐洲自納粹手上釋放荷蘭，鎗林彈雨，同伴有些失去眼睛，有些失去雙腿，紛紛倒下，我怕得不能站立。」

子成把手放在他肩上，「值得嗎？」

雷老點頭，「你若看到荷蘭人民的臉，就知道應該是那樣做，他們至今紀念我軍，派小學生負責打掃軍士墓地，每年重光日，市民都邀請老兵前去作客，熱誠招待，毋須護照出入，因為『先生您上次到敝國救援我們之際也沒有出示護照』，真是一個高貴的民族。」

子成說：「你回來了。」

「是，有時我們會回家，但是奇偉卻沒有。」

「你們雷家一直經營百貨，在本市甚有名望，環境也好，為何參軍？」

雷老吁出一口氣，「你是少年，你不懂得，一九四五年前華僑沒有身份，不予護照，我等熱血青年毅然從軍，大戰勝利，國家實在過意不去：為國捐軀的軍士豈可不是國民，那才給我們身份。」

「你可是英雄？」

「我怎算英雄，英雄是那些沒有回來的人。」

柏太太在一角織毛衣，小小客廳忽然靜寂。

「歷史陳蹟了。」雷英偉吁出一口氣。

子成說：「後世永誌不忘。」

他又笑，「你在寫論文？」

子成答：「我在搜集資料，還未決定幾時動筆，用何種方式。」

柏太太替他們斟上熱茶。

子成問：「當時你可有寫信回家？」

「有，家書抵萬金，我們總記得寫家書。」

「收信人是父母？」

「我寄給妹妹，」他指向柏太太，「由她讀給父母聽。」

「我可以看看那些信嗎？」

柏太太稀罕地答：「忽然之間那麼多人對戰時家書表示興趣，一個叫安地加路的美國人問我要了那些信去複印，他要寫一本書，我想那是好事，又由華人社團主席介紹，錯不了。」

啊，又被美人捷足先登。

「這個加路現時在什麼地方？」

「他到伊拉克去了。」

「信件真本歸還沒有？」

「前天派人送了回來，我去取給你。」

柏太太自房內取出，「一共七封。」

「只得七封那麼少？」

雷老先生答：「戰時交通不便，又無電話電郵。」

都放在一隻小小鐵皮印花盒子裏，原先可能是上世紀四十年代載糖果用，柏太太家居雜物全是古董。

「你慢慢看吧。」

「是。」子成鄭重把盒子抱懷裏。

她鞠一躬，「我不打擾你們了。」

回到家，她把信取出用彩色打印機複製，紙張已黃脆，子成小心翼翼打開摺攏。

沒有回來的雷奇偉佔三封，子成一時不忍閱讀，先放在一邊。

那天晚上，子成特別珍惜與母親在一起的時間，她陪她試用新買的三種咖啡豆。

「大舅舅幾時來，可要整理客房？」

「他為人疙瘩，住酒店最好。」

子成笑，「當過兵的人還會嫌三嫌四？」

「嘿，就因為吃過苦，在不必吃苦的太平歲月，他下定決心要享受人生。」

子成發覺一點：他們都是那樣樂觀豁達，真了不起，像是鐵已煉成了鋼，百折不撓。

深夜，子成聯絡那個叫范朋的人。

「有空請繼續把大品的消息知會我，子成。」

她違抗了父母命令。

廿多歲人了，還留在家裏，號稱鑽研學問，實則茶來伸手，飯來開口，費用全免。

這一代搞成這樣，父母也需負若干責任。

居父母籬下，行動當然受到管制。

應子成被逼放棄曾大品。

她和衣倒在床上。

其實子成不願捨棄的是家裏舒適生活及將來承繼權。

自小父親便說：「子成，這幢房子是你的嫁妝，別一直在床上跳，跳壞了將

來睡何處呢，」又嘀咕：「憑你們那三兩千月薪，不知用來吃午餐好抑或入汽油好。」

得罪了父母，就失去寵愛及那一切。

她去探訪過表姐妹玉瑩與玉潔，她們中學畢業在社區學院進修，真是一對上進勤奮的好孩子，可是一個地庫租金已叫她們頭痛，該處不透風光線陰暗，放學需在小小煤氣爐上煮食，衣物拿到公眾洗衣房。

不多久，玉潔剪了長髮，即使短髮，也有油膩味，皮膚也漸漸粗糙，時時牙痛。

子成有時幫她們把髒衣服拿到家洗淨再送回，通常要加添洗衣粉才洗得乾淨。可是她倆像軍人一樣，精神閃爍，不否認在吃苦，但卻自由自在自主，另有一股神采。

麵包及洋薯是主要糧食，罐頭堆在地上……不知什麼時候捱出頭來。

但玉瑩她們是樂觀的，有時還出去跳舞，這叫子成羨慕。

洋人說，不痛，就沒有收穫。

子成略盡綿力，想到她們，就送吃的穿的過去，甚至幫她們繳電費煤氣費。

因為天氣轉暖，比較放心，已有一段時間沒去找她們。

第二天，子成駕車去東區探訪。

她停好車自車廂取出鮮花水果，從石級走下地庫，敲小木門：「有人在家嗎？」

一推，門自動開了，有人在吸塵打掃，見到她，關掉吸塵機，那中年太太笑問：「你也來找地方住？」

子成認得是房東太太，「玉瑩她們呢？」

「上週末搬走了。」

什麼？子成張大嘴。

房東太太心直口快：「你不知道，沒通知你？哎喲，你對她們那麼好，可是她們沒當你是朋友。」

子成輕聲問：「搬到什麼地方？」

「不知道，沒提起，租了輛小貨車，嘻嘻哈哈把行李雜物搬上就走了，我見她

們已付清所有款項，便看着她們離去，她們連電話都沒留下。」

「信件呢？」

「也許，你可以到學校問一問。」

也許，但人家故意不把行蹤通知你，就是不想你知道，還何必苦苦追蹤。

子成把小小禮物送給房東太太，低頭離去。

子成一直不知道玉瑩她們原來不喜歡她，人心叵測，又一例證，見了面，她們老是嘻嘻哈哈，送她們東西，也欣然大方接受。

原來，她們心裏另一番想法。

應太太知道這件事，「什麼，失蹤了？」

子成輕聲說：「不是失蹤，只是不想見我們。」

應太太疑心：「你叫她們自卑？」

子成辯答：「我不是那樣的人。」

應太太無奈，「也都成年，人各有志，算了，別放心上。」

「我自問已經盡心……」

「你奢望得到回報？傻子，記住你做任何事是為着心安理得，不是希企人家感激。」

「是，母親。」

「子成，我真擔心你，差不多年紀，人家都已煉成三刀兩面，百毒不侵，你還如此稚嫩，我死不瞑目。」

子成聽母親說得那麼嚴重，反而笑出聲。

現在想起來，玉瑩玉潔的確故意笑得太多，是不想別人看低她們吧。

親友來往，也講緣份。

大舅舅駕到，子成親自去飛機場迎接。

看到舅舅，大吃一驚，「舅舅，你似胖了五十磅。」

他哇哈哇哈地笑，「六十磅。」

「那差不多是一個我，我們兩年前見面，你還只得百四，發生什麼事？」

舅母在後邊冷冷答：「吃。」

子成忍不住笑，把他們載到酒店。

大舅舅在車上說：「最美味的海鮮是阿拉斯加京王蟹，唯一出產地是白令海峽，漁夫冒生命危險在冬日大風浪中捕捉回來。」

大舅常識豐富，子成自小最愛聽他說故事。

應太太問兄長：「這次可有正經事？」

「我來吃海鮮，這邊深海魚獲沒有污染，十分安全。」

這時子成問：「大舅，你參加過韓戰？」

「什麼？」他收斂笑容。

子成提醒他：「南北韓戰爭、板門店、三八線、鴨綠江。」

「啊，」大舅聳然動容，「那是半世紀以上的事了。」

「這樣的事，不會忘記。」

大舅卻說：「像做夢一樣。」

「不會啦，」子成逼他：「那年你十六歲，忽然放棄學業，跟志願軍往北朝鮮，外婆趕往火車站送行，聽見整卡車的年輕人唱儷歌，火車轟隆轟隆，你們唱：『媽媽不要太傷心，我們若為國捐軀……』外婆混身戰慄，哭倒在地……」

大舅舅不聲響。

過一會他問妹子：「是你告訴子成？」

應太太答：「母親告訴我，我告訴女兒。」

「你們比我還清楚。」

子成問：「後來怎樣？我要搜集資料做報告。」

大舅舅輕輕答：「我沒去成。」

「什麼？」

他瞇着雙眼又笑起來，「我天生一對平扁腳，不能步操，會拖累同伴，體檢不及格，他們沒收我入伍。」

子成沒想過會得到如此意外答案，忍不住也大笑。

「當時我不知多自卑氣餒，唉。」

可是，焉知非福，今日他可以活着吃到京王蟹。

「那一仗十分慘烈。」

大舅已不願作答：「你到互聯網上找資料好了。」

子成鍥而不捨：「你有寫信給外婆嗎？」

應太太說：「諸兄弟中，他做得最好，每月必有一信，毛筆楷書，蠅頭小字，我看過那些信，印象深刻。」

子成問：「都說些什麼呢？」

大舅這時輕聲答：「紅樓夢。」

子成愕然，「與外婆討論紅樓夢？外婆不是文盲嗎？」

應太太說：「外婆會得讀書看報。」

「母子談紅學，嘩，文化高深，書香門第。」

大舅答：「總不能同她說生活艱苦，衣破肚餓，前途茫茫。」

子成慨歎：「你們那代真講孝道，不像我們：從心理不正常到考試不及格，都賴父母不周到。」

大舅說：「那些信，我預先寫好，存在可靠的友人處，囑他每月一號寄出一封，免母親掛念。」

車廂內沉默。

應太太說：「我記得母親到了時候，便大早開信箱，那是我童年深刻記憶。」

子成問：「為什麼不跟着父母南下？」

「已經長大啦，應該獨立。」

「十多歲叫長大？」

應太太握着女兒的手，「別問了。」

「那些信還在嗎？」

「信沒有了，那本繡像紅樓夢仍然保存。」

子成又問：「為什麼都說紅樓夢是中國第一小說？」

大舅笑：「子成你別疲勞轟炸。」

應太太答：「她小時有個綽號叫小人牌轟炸機。」

子成心想：如果還有那些信就好了。

不是每個軍人都向母親喊救命，抑或，那是因為大舅始終沒去到前線。

他們到一家中餐館吃清蒸京王蟹。

子成嫌煩，叫一碟子炒年糕，吃得香甜。

大舅輕輕同妹妹說：「外國長大的小孩真有趣。」

像他們，吃過那麼多苦，經歷過非人生活，最實際的是美食。

回到家，應太太問：「怎麼看舅舅？」

「肯定是傳奇人物。」

應太太找出一隻盒子，交給子成，「你的紅樓夢。」

打開盒子，看到一本灰色布面殘舊書本，翻開，小小自描插圖，最惹子成注目的是大舅少年時筆跡。

真沒想到自家就有好寶貝。

子成把舊書放回盒子收好。

上一代的人專喜把貴重文件裝進盒子，他們這一代必定製成光碟，更易於保存。

子成同母親說：「我家沒有一人不受戰爭影響吧。」

應太太歎口氣，「談虎色變。」

「但你是和平後才出生的人。」

「戰後滿目瘡痍，我隨父母南下，過的是什麼日子！舉目無親，四壁蕭條，我記得租來的公寓廚廁都沒有窗戶，水門汀地，已經算好的了，不少人住山邊木屋，連食水都沒有。」

「都過去了。」

「但是迄今仍做噩夢：在街遊蕩，乘不到公路車回家，千辛萬苦到了家附近，又找不到門牌，不知家在何處。」

「可憐的母親。」

「孩子，你是反戰的了？」

子成答：「落實反戰。」

那天晚上，范朋又與子成聯絡。

「子成，也許是我多管閒事，但是我想，一年後，大品回來，或者你們可以另有發展，屆時，雙方都比較成熟，在這段時間，你們不妨做一下筆友。」

子成不禁頹然，「我應允過家母……」

「你以一個筆友身份與大品通訊好了。」

「一個筆友？」

「軍人有不少筆友，都是故鄉平民，逢節日寄送禮物像糖果給我們。」

子成意外，「有這樣的事？」

「許多時候我們回信感謝，我的朋友史提夫就是這樣認識琳達，他們此刻已經結婚，育有兩子，結婚指環內側刻着『永恆筆友』。」

「啊，多動人又完美結局的戰時戀愛故事。」

「看，有異於『魂斷藍橋』。」

子成不禁大聲笑，她問：「你們可好？」

「美軍已將注意力轉向伊拉克，我們在此暫無動作，但是隨時戒備，空軍非常忙碌，戰鬥飛機呼嘯之聲使人耳鳴，半夜似聽見尖銳引擎劃過長空，驚醒，發覺靜寂寒冷。」

子成讀後十分感動，「范朋你的文字優秀。」

「汗顏。」

「你可有女友，抑或已婚？」

「我仍單身，女友嫌我身無長物，三年前分手。」

子成感慨，總是一方嫌另一方沒錢。

「今晚聊到這裏為止。」

這時應太太敲門，「子成，蘇銀來訪。」

蘇銀推門進房，「我來吃你家著名的雪菜肉絲麵。」

應太太說：「我馬上去做。」

蘇銀說：「伯母真好。」

子成答：「在我未出世之前，她讀過一篇報告：兒童最注重三件事：乾淨衣物，鮮熱食物在適當時間出現，以及朋友獲得尊重，多年來家母不忘實施，我所有衣物脫下她即洗淨。」

「我知道她還做得一手好勞作。」

「小學勞作真殺死人，什麼地球及月球立體模型之類。」

蘇銀百般無聊翻閱書本雜誌。

子成看着她，「找我有事？」

「我覺得悶，那些極速約會幫不了我。」

「如果幫得了忙我才替你擔心，都會裏每年不知多少不夠小心的女子死於非命。」

「你不覺寂寞？」

「我隨時可以大哭。」

「男伴真的那麼難找？」蘇銀頹然，「很多人以為女子弱質虛榮，至今仍希望婚後享福，可是我一先一後兩個男友都因看穿我沒有嫁妝而拒絕進一步發展。」

「蘇銀你太多心。」

「真的，阿陳不久娶了餅店女承繼人，小王同華僑銀行總裁的女兒在一起。」

子成把報紙遞到蘇銀面前，「這又如何解釋？」

報上新聞報告：韓國三星集團廿六歲女繼承人在美國公寓自殺身亡，據說是因為父母反對她的婚事而感到抑鬱。

蘇銀看完後歎氣，「我不能解釋。」

「你看她，貌美一如女明星，富有，又具學識，何故？」

蘇銀轉過身去，「太嬌縱了。」

「也好似只得這樣解釋。」

蘇問：「我在『加拿大法裔與英裔之爭』一文上拿一百分，男生會否因此愛我更多？」

子成吃一驚，「你真拿一百分？你這瘋子。」

「還有，英國歷代爭取民主過程及與君主之爭，我取得一百零五分，另五分是獎品。」

「他們會尊重你。」

蘇銀答：「我要的是熱吻、擁抱、甜言蜜語。」

這時應太太捧着兩碗麵上來，「慢慢吃。」

子成在她身後關上門。

母親不明白女兒的意向，她們並不希企高攀，甚至門當戶對，她們自有個人學歷入息；她們最所需要的是一雙強壯手臂。

蘇銀說：「要會讓我笑。」

子成答：「是，笑得牙齦發酸，笑得前仰後合，成天瘋瘋癲癲過日子。」

「夏日帶我去飛線釣魚、爬山、滑水、冬季教我溜冰，到育空去乘狗拖雪撬，春季往歐洲觀光，秋季在後園做燒烤……換言之，玩玩玩。」

子成接上：「我自己會勤工賺錢，我自己有房子車子，他只需擁抱我說：『在我眼中，你永遠最好最美』。」

蘇銀忽然想起來，「大品不正是那樣的人嗎？」

「不錯。」子成雙眼發紅。

「你怎可放他走？」

子成掩臉哭泣，「我也後悔。」

「追上去也許還來得及。」

「他在坎達哈。」

「世上無難事。」

「家母……」

蘇銀也食不下嚥，「我晚上約了人看電影，你可要一起？」

子成抹乾眼淚。

「是戰爭電影，你會喜歡。」

子成說：「今日的戰爭電影也不再歌頌犧牲壯烈偉大了。」

蘇銀說：「是二次大戰血戰班丹島故事，這次電影分開兩部份，一半由美軍角度出發，另一半由日人觀點拍攝，效果震憾。」

「我想早點休息。」

「你這般懨，不是辦法，來，我介紹男伴給你。」

「我不喜歡盲約。」

蘇銀又恢復樂觀，「也許有緣份。」

子成跟出去看電影，電影劇力萬鈞，美方贏得慘烈，日軍輸得壯烈，是一部美化了戰爭的反戰電影，矛盾到極點，正好是一般公眾看戰爭的心情。

散場後有人建議喝咖啡。

子成說：「我請客好了。」

大家坐下來，子成才看清楚她是晚伴侶是個臉上長滿雀斑的華裔青年。

這叫他看上去特別可愛稚氣。

蘇銀介紹：「周曙博士在加州理工做高溫物理研究。」

子成沉默一會，終於忍不住輕輕說：「世人至今總算明白，美國何以整個世紀不惜人力物力鑽研原子物理，那是因為要研製更加強大的武器吧。」

那些活潑的雀斑忽然發呆。

「為何在攝氏一百萬度高溫做物理研究？是因為念念不忘氫彈吧：先把鈾原子核分裂，產生極大能量，再用高溫把核子融合，引致連鎖反應，這便是可怕的氫彈。」

子成的聲音極低，有點陰森，使人不安。

當然這不是第一次約會應該說的話，她應該輕鬆評一下梅洛紅酒與蘇維濃白酒的優劣。

子成說下去：「愛恩斯坦一封致羅斯福總統的信件最近拍賣成交價百餘萬美元，他懇請迅速發展核彈，因為希特拉正在煉製重水，重水用途正是緩和劑；原子堆中使中子減速的物質，說到底：偉大的$E=MC^2$是殺人武器。」

周博士回過神來，看着今晚這個纖瘦秀麗的女伴，不勝詫異。

「相反地，發現原子分裂的第一人梅納夫人則拒絕參與曼克頓計劃，幾位女性科學家包括居理夫人愛好和平。」

周曙忍不住說：「你這個題材可以寫一本論文。」

「我正想這麼做。」

「我無意諷刺，你是反戰人士？」

「我只是厭惡戰爭。」

周博士微笑，「在應小姐心目中，每個人都最好成為懸壺濟世的醫生吧。」

蘇銀詫異，「你們兩人喁喁細語，談些什麼？」

周曙笑而不答。

「好像很投契呢，下次可還有約會機會？」

子成答：「我想不，我悶壞了周博士。」

「不，下次我們可以談人類學最近發表的報告『全人類源始非洲』是否可信。」

蘇銀大笑，「我們去跳騷莎，可要一起？」

子成搖頭，「我累了。」

周曙說：「我送你回家。」

在路上，子成說：「對不起，毀了你的雅興。」

「剛相反，子成，你若想到我校攻讀物理，我可協助。」

子成笑了。

「做戰爭研究使人氣餒可是。」

「核彈在廣島及長崎爆炸至今六十年，致癌鉋元素的半生是三十年，即每三十年消失一半，至今恰剩二十五巴仙，後患無窮。」

「這樣辯論下去整晚不用睡覺。」

子成微笑，「可惜我與家母同住。」

「她會得容忍我倆坐在書房談話到天亮吧。」

「我想不。」

「那麼，只好改天再約了。」

他們才走到門口，燈已亮起，應太太的聲音：「子成，與朋友進來吃雞湯麵當宵夜。」

周博士立刻揚聲：「是伯母。」

應太太把兩碗熱騰騰湯麵放廚房，人卻不現身，給年輕人極大空間。

沒想到母親如此大方，也許是後悔把曾大品轟走。

書房一桌一地都是子成的參考書，她有兩台私人電腦，連在一起做功課，陣仗驚人。

周曙問：「你可有獎學金？」

「我得到過一次兩千一次五千獎學金，家母勸我捐出給更需要的學生。」

周曙喝一口玫瑰普洱，「嘩。」

子成問他：「你呢？」

「我自初一開始就靠獎學金讀書，到了大學，專挑連生活費用也支付在內的獎金類項。」

子成鼓掌。

但是他看得出她有心事，因此問：「公主，你為何不高興，可是因為第十二層床褥底下有一顆豌豆？」

子成笑着把通訊號碼寫給他，他恭敬收下。

他站起告辭。

關上門，子成發覺母親就站在身後。

「一看就知道是個讀書人，一臉雀斑，好不有趣，是會計師抑或建築師？」

「他在大學做研究。」

「可是名教授？」

「我沒問。」

「下次吧。」母親搭訕地回房去。

子成苦笑，她打開電腦，與范朋訴苦：「我已去信大品，可是，他沒有答覆。」

「給他一點時間，最近他帶聯合國救援人員深入山區。」

「你們使吃飽穿暖的人羞愧。」

「那倒不必，但有時讀報知道某些結婚蛋糕價值兩萬美元真覺過份。」

「山區兒童情況如何？」

「有的住在難民帳幕裏已有三年，缺水缺廁食物短少又失學。」

「非人生涯，我發覺天堂與地獄原來處於同一空間。」

「最可怕的還是寂寞。」

子成寫：「功課也多得恐怖，假期內要寫三篇報告，逾期不交，每天扣四份一分數，殘酷。」

「子成，大品把你的照片放大了貼床頭。」

「是嗎，是那一幀？」

「在沙灘上玩耍那張。」

子成一怔，不動聲色，「請拍攝下來傳真給我。」

不一會，照片傳至，雖然不十分清晰，也看得出一男一女在沙灘裏相擁，男的是曾大品，女的卻不是應子成。

子成發獃，鼻子酸得發痛。

照片角落有日期：五月十四日。

那時，子成已與大品分手，當然不是她。

她按熄電腦。

范朋誤會了，原來大品的信與照片裏女友，都另有其人，不是子成。

那女孩粗眉大眼，十分漂亮，笑得咧大嘴，露一口雪白牙齒，可見性格也爽朗可愛。

多事的范朋，使她本來已罷休的一顆心死灰復燃，招致新的創傷。

根本不是她，范朋找錯電郵號碼，曾大品早已忘記她。

虧她還去信問候，幸虧只是一張生日卡片，不知何年何月才可收到，不至於太尷尬。

唉，看情形范朋也出自好心，子成頹然。

第二朝天未亮她起來蓬頭垢面那般寫功課：應太太着她洗臉漱口，她說：「一洗靈感就失。」

電話鈴響，對方說：「早，願意出來打網球嗎？」

子成知道那是周曙，「向我解釋核子如何分解。」

「有以下三種，阿爾劃，貝泰與嘉瑪分解。」

子成笑，她對他的態度與上一晚大不相同，今晨，她知道，是真該忘記曾大品的時候了。

「我們去吃燒餅油條。」

「三十分鐘後我來接你。」

剛掛上電話，應太太對她說：「隔壁柏太太找你。」

子成警惕，「她不舒服？」

「她很好，她說有一個朋友來了，想見你。」

子成立刻匆匆更衣，她以為是雷英偉先生想見她。

母親叫住她：「把這盤餅乾帶去。」

那盤巧克力榛子餅乾剛剛烤好，香聞十里。

子成過去敲門，老太太笑着開門，「是子成來了，子成，我同你介紹，這是大作家安地加路。」

那大作家一隻大手已經伸了出來，情不自禁拎起餅乾，「唔——唔——」他說。

子成不禁好笑，只見這人穿着髒而破的牛仔衫褲，人家是設計成褪色穿洞，他的衣褲卻是真正捱過歲月，兼夾一頭鬈髮一臉鬍髭，看不清楚臉容。

這人會是作家？他像一塊扔在門口給頑童擦去腳底泥巴的鬃毛氈。

想像中寫作人清秀斯文，彬彬有禮，此刻他指甲鑲黑邊，真不像會寫字。

子成把整盤餅乾交在他手中。

柏老太笑說：「你記得我同你講過，安地在寫一本有關戰地書信的書。」

啊是，是這位加路先生。

他拍去手上餅乾屑，與子成握手。

「子成，」他親切得似老朋友，「聽說你有韓戰時書信。」他這個人自來熟。

柏太太說：「我在園子裏除蟲，你們慢慢談。」

老太太退下去。

子成看着他，不出聲，到廚房去做咖啡。

他跟着她，若不是有柏老太做保人，子成可不會輕率同這人獨處一室。

他說：「我了解你讀人文系，你也在寫報告，這樣吧，我倆交換資料，如何？」

子成躊躇。

「我們彼此注明出處。」

「你有什麼罕見資料？」

他取過一個破爛沉重的背囊，明顯有炙破的圓孔，子成吃驚：「子彈孔！」

他把背囊反轉，「是，這裏還有一個。」

子成想起來，「你自伊拉克回來。」

他取出一頁紙，交到子成手裏。

子成知道是影印本，但仍聳然動容，這是一張電郵：「親愛的媽媽，真想不到我會走到戰爭的平交道上，今日我方載着十多名傷亡軍士到醫院，他們都是別人的子女、伴侶、手足，令人黯然，以後，我的觀點眼光再也不會一樣，每天做夢，我都似聽到媽媽清晰聲音：『我兒恩尼，速速平安歸來』。」

子成抬起頭。

「他的軍車翌日遇到路邊炸彈，整架卡車爆炸，三死三傷，他廿一歲。」

子成又低頭。

「恩尼母親每天做夢看見兒子，他對母親微笑說『我沒事』，那位中年太太告訴我：恩尼獲得銅星勳章，有時她覺得日子還可以過，有時壞得整天哭泣，但永遠不會同從前一樣。」

子成雙眼發紅。

「我已搜集了百多封信，從一次大戰到伊拉克戰爭，柏太太稱我為作家，其實這次我沒寫過一個字，我找不到適當的字句，他們寫得最好，這些戰地書。」

子成無言，稍後輕輕說：「我不再想這個報告。」

「呵不，你必須寫。」

子成答：「我可以改寫『肥皂劇中女主角社會地位』。」

「請勿放棄，讓我鼓勵你。」

子成忽然對這個人有新認識：他熱誠的聲音，親切的身體語言，都叫子成不再

介意他粗獷的外貌。

她問：「你住什麼地方？」

「我是柏太太的客人，借住三天，然後回東部寫作。」

子成好奇，「你是富有作家，抑或窮寫稿？」

「我人窮志不窮。」

子成微笑，開頭都那麼說，可是背囊會破，肚子會餓，漸漸氣餒。

「你出版過什麼書？」她看着他。

他笑笑答：「其中一本銷量還不錯的叫《別忘記你的護照》，關於旅遊。」

子成一愣，「你是那個安地加路？」她看過那本精彩的旅遊日誌。

「朋友一直叫我路。」

「我讀過那本書，你寫到戰後國家，讀之叫人心酸，可是簡潔活潑，文字又令人覺得希望仍在。」

「謝謝，不敢當。」

「這是一本暢銷書，華爾街日報推舉十大之一，你經濟應當過得去。」

「托賴。」

「我最愛書中圖片，這次你可有拍照？」

他點點頭，再從背囊中掏寶，這次取出一張照片，「這是恩尼母親。」

彩照中是躺在毯子上的中年太太，她身邊放着廿一歲亡兒的軍裝照，她仍然維持尊嚴，化淡妝，戴着寶石耳環，可是一雙眼睛悲哀莫名。

子成歎氣，「多麼深刻的照片，路，請恕我有眼不識泰山。」

路作家再展示另一張照片，正是柏太太與雷英偉合照，旁邊擱着奇偉相片，相中有相，柏太太手中所拿相片，是三人在孩提時期合攝。

子成潸然淚下。

「你感動了，希望其他讀者也同樣感動。」

子成說：「感動是一種難以催生的感覺，有些寫作人天生有這種能力，毋須矯情，有些無論多麼堆砌經營，卻達不到目的。」

「多謝讚美。」

子成說：「你的確是一名作家。」

這時子成手提電話響起。

「子成，你還不回來？」是媽媽的聲音。

子成一怔，「有事嗎？」

「子成，周曙來了，他在我們家，他說你約了他，他等了已經有一會兒，只說別催你。」

哎呀，子成如夢初醒，「我馬上回來。」一看手錶，已經大半個小時過去。

作家的魅力不可估計，子成彷彿進入另一空間，不知不覺，遺忘周博士的約會。

她對路說：「家母叫我，我先走一步。」

加路微笑，「我們的交換條件……」

「我會把資料給你。」

她奔回家中，只見母親把家中所有好吃的食物都擺在周曙面前，兩人像老朋友一般說笑，子成許久沒看到媽媽如此高興，暗暗佩服周氏會得搞人際關係。

看到女兒，應太太問：「老太太沒事吧。」

「沒事沒事。」

「周博士同我談實驗室趣事呢。」

子成閒閒說：「質子中子電子又看不到，如何做實驗？」

周曙笑，「一間酒吧裏老是有人朝某扇門走過去，雖然看不見，也知道門後必然有衛生間。」

應太太笑，「我還是不懂，真神秘莫測。」

周曙問：「子成，可以出去了嗎？」

陽光下他臉上的雀斑像是會跳舞。

子成真想伸手去逐顆剝下。

忽然看到他手臂、脖子也全是深深淺淺的斑點，想必全身都有，像潑翻墨水似，她不禁笑起來。

子成很久沒有開懷地笑，她同自己說：也是時候了。

應太太追出說：「玩得開心點。」

她對女兒有歉意，她希望子成恢復從前的笑容。

子成與周曙出去遊街，他們到海洋館，兩人坐在戲院銀幕那樣大拱型玻璃水族館前觀賞群魚。

「看，鯊魚並不攻擊其他魚類。」

「不比人類，動物只有在肚餓才襲擊。」

子成看他一眼，不出聲，孩子們看到百多種魚類覺得興奮，把手與臉貼在玻璃上。

室內光線比較幽暗，情侶們都緊緊靠在一起，子成也想把頭放到男生肩膀上，舒服一下，但是她的理智控制住她，她始終坐得筆直。

大品第一次約她海浴，她看到換上泳褲的他，不禁讚歎他V型身段，其他異性也發覺了，圍住他搭訕，他一直不愁沒有女伴啊。

這時周曙說：「我們去吃冰淇淋。」

子成如夢初醒，「是，是。」

他們逛到書店，子成走到櫃枱，「我想找安地加路的著作。」

店員用電腦查看，「一共六本，我們這裏只有四本存書，他的《別忘記你的護

照》最暢銷，其餘兩本分店有貨，他們正打算送來。」

「一套六本，謝謝你，我可此刻付款。」

周曙已經掏出錢包，子成立刻推辭。

「你還是學生，我比你鬆一點。」

「你可請我吃喝。」

店員對子成說：「加路先生明早十時在本書店舉行簽名會呢。」

「是嗎。」子成意外，她可沒聽他提起。

店員笑說：「你可以請他簽全套。」

這時應太太問他們可要回家吃飯，周曙說他還有事。

子成說：「這次北上可有收穫？」

周小生忽然坦率地答：「有，我很幸運，居然在一次盲約認識我喜歡的女子。」

子成要過一會才會意那正是她，不禁一怔。

周曙咳嗽一聲，「那說過了，我會進一步表態，我已把握機會，要求下學期調

到貴大學做一年客座。」

子成睜大雙眼，來不及反應。

「別吃驚，誰不想接近心儀的人呢。」

子成只得說：「千萬別耽擱前程。」

周曙笑，「你的口氣似伯母。」

伯母很開心，她對女兒說：「小周會調到我們這裏教書，你們可趁機發展感情。」

子成不出聲。

應太太說：「我鼓勵你發展這段感情。」

子成忽然發起脾氣：「這不比栽花，春季種下去，夏季可觀賞，你鼓勵的未必成功，你反對的卻已經失敗。」

應太太一愣，這是一個從小聽話的乖女兒，極不忤逆，也很少發脾氣鬧情緒，今日她動了真氣。

應太太啞忍。

「對不起媽媽。」

「不，」應太太流淚，「我不該干涉你感情生活。」

子成歎口氣，「你想討好丈夫，我也想順父親意思。是他不贊成曾大品，我與你一般懦弱，誰也不好怪誰。」

應太太說：「他已經離棄這個家，我與你應當鼓起勇氣。」

子成答：「不，他每月均匯足家用雜費給我們母女，從不需我們擔心，我倆已經算是幸運。」

應太太掩臉，「對不起子成。」

子成答：「父親眼光一向獨到，所以生意成功，他看人起碼有七八成準確，事情過去算數，不要再提，曾大品早已找到新女伴，我也有許多約會。」

應太太抬起頭來，為這件事她似老了十年。

子成說：「不過，以後再有人無理干涉我選擇，我即時離家出走。」

「我還有些積蓄，我與你一起走。」

聽她們口氣，好似還有人稀罕她們走或留似，事實上應先生已有半年不見人

影。

母女倆緊緊握住手。

應太太問：「我可應離婚？」

「如有疑惑，還是按兵不動的好，這種事，誰也不能給你忠告，可幸的是，我已長大，你無後顧之憂。」

晚上，子成照着格式寫報告，她天性有點散漫，最不喜格式，偏偏學府最注重表面形式，規格往往值二十分。

可是，許多著名作家仍然用手書寫，原稿如塗鴉，很多時候只放在鞋盒裏，內容新鮮才最重要啊。

至於科學家更加隨意：方程式寫黑板或餐巾上都無所謂，只要理論有所推進……

可是到了學校功課，格式好比緊箍咒，叫孫悟空都動彈不得：報告四邊留白若干公分，每句隔兩行空間，資料引證部份需縮多兩公分等等。

子成這樣寫：十九世紀以前，所有戰爭都被形容為英烈傳，為國家為正義為宗

旨不惜一戰，壯烈犧牲，那是因為沒有隨軍記者沒有攝影機真實報導的緣故吧。

子成抬起頭，寫得太偏激了。

應太太在門外說：「白天四處玩，晚上哪有精神做功課，早點睡。」

母親就是這樣：早點睡，吃飽些，穿暖沒有。

戰壕裏的士兵不知是否有常常想起母親的叮嚀。

一萬名陣亡士兵就有一萬個傷心家庭。

到底年輕，子成咚一聲倒在床上睡着。

第二天早上紅日炎炎，她跳起來，唷，今日要到書店去請路作家簽名。

她連忙梳洗出門，趕到書店，已經看到門外長龍。

招待員十分周到，一邊派發咖啡鬆餅，一邊說：「加路先生已在店內開始簽名，今日一共五百籌碼，請耐心輪候。」

子成很替他高興，她怕太少，故此趕來參予，早知情況熱烈，不如到柏太太家敲門。

既來之則安之，她一步一步跟隊伍走進書店，她的號碼是一百零二。

排到比較接近之際，她看到書桌前的大作家。

子成怔住，這是他？她拉住店員說：「那位是加路先生嗎？」

店員點頭：「快輪到你了。」

子成連忙退出隊伍，站到一邊看清楚加路真相，只見他穿淡藍色襯衫，深色長褲，已剃掉鬍髭，剪短長髮，原來他有一張書卷氣的正方臉，笑起來眼角有細紋，根本不像那個要求子成交換資料的魯莽漢。

有人老說女子化妝前後可以變另外一個人，沒想到男子略加修飾，差異也如此驚人。

有人喝號碼：「一零二，一零二。」

子成想一想，走上前去。

加路抬起頭，看到是子成，一怔，立刻站起笑，「是你呀。」十分驚喜。

子成微笑，「可不就是我。」

「怎樣寫？」

「寫『出門一里，不如家裏』。」

他真的那樣寫好，並且簽上大名。

子成說：「謝謝。」

「謝謝你才真，晚上我到府上拜訪。」

子成走出書店，發覺籌碼已發到三百多，真沒想到他是一個那麼受歡迎的寫作人。

真不容易呵，走進書店，書山書海，本本大小封面都差不多，如何脫穎而出，幾乎是不可能的事，然而，讀者總會發現滄海中珍珠，逐顆剔出，真是偉大。

子成神情愉快地回家。

漫長暑天，母親站園子與柏太太聊天。

——「你家那流浪玫瑰開得好不燦爛。」

「你叫攀綠蔓延玫瑰為流浪玫瑰？」

「怎麼不是，不安本份，爬得滿牆都是，七八呎高，然後掛下來，探入窗帷，艷麗芬芳好奇，像一種活潑女子。」

柏太太呵呵笑起來，「說得好，然則我同你又是什麼？」

子成聽見母親有點不甘心地答：「萬年青？」

柏太太說：「常綠科好呀。」

應太太看到女兒，「子成回來了。」

子成連忙答：「你們儘管聊。」

應太太卻低聲說：「你爸回來了。」

子成悄悄問：「在睡覺？」

應太太點點頭。

子成走進客廳便聽見父親喚她。

子成連忙笑：「早上飛機？」

「子成你幾時畢業？」

「明年五月。」

「回來幫我做生意，不得有誤，養兵千日，用在一朝。」

子成收斂笑容，她有她生活圈子，她不想回去。

她反問：「母親怎麼辦？」

「她可以照顧自己，我需要一個忠誠幫手，來往太平洋東西兩岸，作為橋樑。」

子成為難，「爸，我不懂生意。」

「我教你，你聽我不會錯。」

子成賠笑，「原來是做跑腿。」

她本想一口拒絕，可是經一事，長一智，反正是明年五月的事，何用現在就與父親反臉。

鑑貌辨色，子成問：「好嗎？」

應鉅容忽然沒精打采，「她結婚了。」

子成立刻明白父親說的是誰。

過一會她輕輕說：「那樣的年輕女子是極多的。」

好笑不好笑，與其說是文明，不如說荒謬，父親的女友結婚去了，子成反而要安慰他。

應鉅容抬高頭，「你說得對。」

子成想起來，「爸，你可曾從軍？」

應氏莫名其妙，「太平盛世，誰去當兵？」

「你所認識的親友，可有入伍？」

他想一想，「兩個表姐，曾是紅衛兵。」

「那不算。」

應鉅容歎口氣，不予置評，「不，我不曾參軍。」

「輔警呢？全無穿過制服？」

「我只是一個小商人。」他攤攤手。

「祖父又幹哪一行？」

「他未退休之前與叔父們開一爿米店，賺了一點錢。」

應太太進屋來，「父女談什麼？」

「子成忽然追究家境。」

子成說：「我上樓去打電話。」

應先生問：「那又是誰？」

「蘇銀。」子成跑上樓去。

蘇銀沒找她，范朋卻有電訊。

「昨晚與大品談到退伍後前途問題，他說他渴望結婚，這一年他頗有儲蓄，回家後想置一間車房過安定生活，我想，他的對象會是你吧。」

子成沒好氣，找到一張近照傳過去：「這才是我，你說，車房女主人會不會是我？」

范朋大吃一驚，「對不起，子成，我做了什麼？」他沒命價道歉。

「你這個電訊員實在太空閒了，並且，對你朋友曾大品毫無認識，我很替他高興，我相信他會如願以償，至於糊塗如你，也一定會得幸福。」

「子成，我真的誤會了——」

「我也有許多約會。」

子成伸手關掉電腦。

應太太在門外說：「你爸叫我們陪打高球。」

「我不去，你記得多搽一點防曬油。」

應太太高高興興陪丈夫出去了。

不一會有人按鈴，子成以為他們忘了什麼，下樓去看，門一打開，卻是大作家。

他雙手撐着腰，看着子成，依稀從前大塊頭模樣。

「我帶了一套精裝版送你。」

那套書硬皮熨金，十分矜貴。

子成有感而發：「做英文作家真好。」

「可是十多億人說中文。」

「中文的版權法沒做好，上午在甲地出書，下午乙地就翻版，不比英語版，倫敦、雪梨、多倫多、紐約……全部收得到版稅。」

「啊，這樣呀。」

子成遺憾，「就是如此。」

他向她透露：「子成，明天我要到東南亞去搜集資料。」

「第一站何處？」

「菲律賓、馬來亞、香港，我有日軍集中營裏書信。」

「你去實地拍攝照片。」

「是，子成，如果有你做翻譯就好了。」

子成微笑，「上世紀五六十年代，華女翻譯許會鞠躬說：『路先生，歡迎到東方，我名蘇茜』，放心，東南亞幾乎人人說流利英語，你不會迷路。」

「你對東方似乎沒有興趣。」

「我不曾擁有的不會思念，我不知道的不會傷痛。」

路說：「我會想念你。」

子成問：「你同柏太太說過再見沒有？」

「我昨晚向她告辭，她特地烤了餅乾裝在盒子裏交給我沿途吃，從前軍人家族也會那樣做，請替我照顧她。」

「你到東南亞住在什麼地方？」

「我一直選擇民居，那樣才可以觀察民情。」

「我們保持聯絡。」

他的大手握住子成雙手很久不願放開，對他來說，這似乎也是頭一次，連他自己都覺得詫異，他是一個寫遊記的作者，見多識廣，一路上不知結交多少朋友，應該隨遇而安，怎麼會依依不捨？

是因為這女孩在眾多戰時資料中，選擇與他同樣有興趣的戰地書信吧。

也可能是因為她白皙鬱秀的鵝蛋臉，纖長弱質的身軀，他曾在中國畫工筆美女圖中見過那樣的造型，當時心想，太美太理想了，哪有這樣的真人，直至與子成邂逅。

哎呀，像圖畫一模一樣。

他終於說：「我們再見的時候應該是秋天了，我邀請你去千島湖看紅葉。」

大作家戀戀告辭。

天黑透後，應氏夫婦才盡興而返，應太太臉上透着罕見笑容，她額頭與雙頰都曬得紅腫，興奮地同女兒說：「子成我有話與你說。」

應先生斟一杯大大威士忌加冰，「我去淋浴。」

子成看着他倆，笑笑說：「可是言歸於好了？」

什麼叫做呼之即來，揮之即去，請來看此實例。

「子成，他叫我們回去。」

子成一怔，怎麼連她也有份。

「子成，他說加元已升值百分之三十，房價又漲上一倍，這時不回去，還待何時，所有人都走了。」

「啊。」子成這樣回答。

「暑假你可到父親公司實習，之後，他幫你轉到清華大學讀商科，子成，我們終於可以回家了。」

子成卻一桶冰水澆到母親頭上：「我不去。」

應太太整張臉拉下來，她改變語氣：「子成，你是我女兒，你欠我這個人情。」

子成急，「我不去。」可是聲音已經顫抖。

她想起母親中小學時如何幫她補習功課，她病時整夜不寐，天天做她喜歡的點心，母女一起看電視片集……

這時應太太哭了，「你一定要答應我。」

子成知道母親想恢復身份，他們只有她一個女兒，義務與權利等同，她屈服了。

「我回去看看，一個暑假……」

母親握着她的手，「謝謝你，子成，你是我好女兒。」

她飛奔出去把好消息告訴丈夫。

子成頹然坐在床沿，她只想母親快樂，能叫已經進入中老年的媽媽高興，什麼犧牲都是值得。

晚飯時只聽見母親吩咐相熟地產仲介放盤賣房子。對方保證四十八小時內可以高價脱手。

父親已訂好三張飛機票，開始把公司業務向女兒簡述，子成聽得頭昏腦脹，這才知道原來父親做出入口，幾乎有本事把冷凍櫃賣到北極去，最近推銷健康食品，什麼綠茶、面霜、人參口香糖等。

這確是六國販駱駝。

他忽然說到韓戰時，一個親戚專門出口雞蛋，供應美軍：「過程奇突：把蛋黃蛋白分開，裝進罐頭煮熟，才運出口，保證不壞。」

戰時食物：據說罐頭就是如此應運發明。

子成打一個呵欠。

「你去睡吧，子成。」

她一邊上樓一邊聽見父親稱讚她：「這女兒還算聽話。」

「兒子就沒這樣馴服，他們光聽女朋友的話。」

「我們對女兒也一向千依百順。」

子成想，這是真的，只除出曾大品那件事。

她倒在床上，不一會睡着，整夜聽見母親收拾細軟。

大早她收到范朋電郵，他還在道歉。

子成對他說：「算了，這不是你的錯，你太熱心，我告訴你一個消息，我過幾日將跟家父回香港，那是一個奇怪的地方：人們動輒穿上萬元一套的衣服，崇拜功利，成功才是一切，我不知是否適應，只得試一試。」

范朋像是鬆口氣，「只要你明白就好……」

「在坎達哈，最近忙什麼？」

「水塔重建，還有保護無國界醫生安全，公平派發救援物資等。」

「你是電訊員，手頭一定有許多機密資料。」

「哈哈哈。」

這時應先生叫女兒：「子成，子成。」

「馬上來。」

原來應先生叫女兒一起拍照。

子成把照片連一盒自製餅乾一起到郵局寄出給范朋。

跟着她陪母親到銀行保管箱取珠寶及重要文件。

子成記得媽媽對友人這樣說：「一次也沒有試過：子成自小到大，從來不曾試戴我的戒指耳環皮裘，她一點興趣也無，相反我小時老偷穿家母的高跟鞋，挽着她手袋扮大人，子成從不虛榮。」

子成只覺物質無用，母親一直不快樂，直至此刻。

下午，母女約了周曙喝茶。

應太太叮囑：「周博士你到香港切記探訪我們。」

周曙苦笑，「真沒想到我調來這邊也無用，我只得要求再調到香港。」

子成只好一直賠笑。

最捨不得子成的是蘇銀。

應太太說：「蘇銀你來，住我們家。」

蘇銀說：「我從未考慮過住旅館，我許到香港做生意，聽說那邊還沒有『極速約會』這玩意兒，試一試也好，每人收五百，我一年可發財。」

子成笑，「你與家父合作好了。」

說也奇怪，十年不變，一旦動員起來，一星期後應家母女便賣掉一切不動產包括房子車子回老家去。

母親興奮得像一個孩子：「衣物需全置新的，舊居可得裝修一番。」她不住盤算。

子成帶着她的功課及一隻背囊，已是全部行李。

她向柏太太話別。

柏太太感慨：「起先是一家家來，此刻是一家家走，最早是尹家，一子一女好好在此讀書，父親一聲趕乘尾班車便舉家回去，兩年後聽說賺到一點揚言回來蓋大屋住，隨即在房地產投資上全軍覆沒，結果尹氏屋以低價賣出，落在一群波斯建築商手裏，轉了五次手，每次大肆裝修，嘈吵不堪，屋子也有命運，接着施家劉家關家全走了。」

子成點頭，柏太太數言道盡這十幾年滄桑。

「今日輪到你們，誰買了你們家房子？」

「我不清楚，相信會是好鄰居。」

「真捨不得你們。」

子成握住老太太雙手，「我也是，柏太太。」

「年紀老大，最怕變化，巴不得一成不變，天天照老樣版過日子。」

正說着，有人敲門，子成代柏太太開門，原來是一個年輕太太帶着兩個女孩子造訪。

「我們姓周，來自馬來西亞，買下隔壁應家房子，是你們新鄰居，今日順路問候一聲，盼守望相助。」

子成放下心中一塊大石。

看，舊的一去，更新更好的馬上就來。

子成連忙帶周太太及兩位小小姐進屋介紹給柏太太認識，她們十分投契，女孩見柏太太打毛衣，立刻要求學習，子成斟出茶點。

翌日到了飛機場，子成還不相信真的要走，來的時候也是一家三口，那時她才四呎六七吋高，緊緊握住母親手，只覺天很藍雲甚高，有許多洋人，心中害怕。

此刻他們一家剛好站在一面大玻璃前，父母照顧行李，只有子成看向玻璃反映，她已經五呎七吋高了，成年，如果真不喜老家，可獨自回來。

人像候鳥一樣，隨着暖空氣遷徙。

一上飛機她就睡着，隱約聽見母親説：「你看子成，張着嘴睡，又蠢又醜。」

父親回應，「可是見過她的親友都稱讚她聰敏漂亮。」

母親反問：「人家好怎樣説？『令千金貌寢，性愚魯』？」

他們笑了，沒有子女沒有精神寄託，沒有說話題材，而且，分了手再也不會見面，父母今日再走在一起，分明是因為她。

子成用一條毯子蒙着頭一直睡到飛機降落。

應鉅容的手下來接老闆，手段磊落周到，令人舒服。

這城市人人衣著時髦，聰明伶俐，他們不用說話，一個眼色一個點頭已通了訊息，子成暗暗吃驚。

子成比起他們，即時貶為乙等貨色。

她一向知道父親環境不錯，但不知這樣富庶，車子朝郊區駛去，子成認得是淺水灣。

加路稍後知會子成：「淺水灣，英文Repulse，即『擊退』，是二次大戰日軍擊沉英艦『擊退號』之處。」

這個海灣曾經激戰，死傷無數，並不如今日般藍天白雲，紅花細沙，美不勝收。

應宅在大廈頂樓複式單位，在電梯大堂上遇見的鄰居，都客氣地朝他們招手。

地方已佈置妥當，女傭人遞茶遞水，十分周到。

應太太像換了一個人似，話多，動作也多。

子成回到房間，推開長窗，走進露台，居高臨下，她雙腿有點不自在，露台一角放着一隻皮蛋缸，種着一株棘杜鵑，開滿數千朵玫瑰艷紅色小花，甚有地中海風味。

她取出手提電腦，接上電源。

加路有電郵給她：「我是大作家，小讀者你好，我願帶你參觀當年英日兩軍交戰地點。」

子成微笑，「什麼時候？」

「三十分鐘可到你家樓下。」

子成大喜，「你在本市，你在我家附近？」

「待會見。」

子成立刻淋浴更衣。

拉開浴室抽屜，她發覺一管口紅，這不是普通口紅，它印有名牌化妝品限量製

造標誌，顏色叫紫霧。

女主人必定十分懂得物質享受：什麼都要最好的，這是誰，是父親的女友嗎。這支口紅一定滾到抽屜角落，所以清潔工人沒有發覺，這樣好了，由應子成代為收拾，她一手把它扔進廁所沖走。

子成喊一聲：「我出去找朋友」便奔下樓。

左右一望，不見人，天氣熱，一離開空氣調節已經出了一身汗，穿T恤牛仔褲的子成舉起雙手吹風。

忽然她看見一輛小小偉士牌機車噗噗聲駛近，這種五十年代俗稱小綿羊的機車因電影羅馬假期成名，十分可愛，最適宜穿梭市區觀光，誰，誰這麼好興致？

定睛一看，原來是加路，子成高興得趨前大力啜吻他臉頰，噗地一聲，叫他受寵若驚。

她問：「你怎麼來了？」

加路坦率答：「一聽你在，我也趕來。」

兩人歡笑一會，子成坐上機車後座，戴上頭盔。

加路把機車駛出，往郊區去。

他說：「你還是老樣子。」

「你也是，習慣嗎？」

「洋人在東南亞一定如魚得水，亞洲人總有點崇洋，不久你也會發覺：持外國護照，講流利英語，佔些便宜。」

子成知道這是實情。

到了近郊，他們在咖啡座坐下，加路給子成看一件東西，他小心翼翼自紙盒中取出。

「你聽過金章銀章以及紫心勳章，可是保證沒見過這個。」

子成只見是一枚配淡藍緞帶的勳章。

加路說：「這是美軍最高榮譽，自一九一七年以來，只頒發過六百七十枚。」

「嘩，要做過什麼才能獲得此獎？」

加路笑，「當然要在粉身碎骨之前救出多名同伴。」

「你從何處得來？」

「我借來拍照兼做一個複製品。」

「這人是誰？」

「我帶你去見他。」

子成開心拍手，「只有你知道我心意。」

他把機車停在一幢小村屋前。

這時子成已經一身是汗，T恤貼在背上，臉上泛油，可是她一心一意要見勳章主人，反而不覺得熱。

走進天井，加路揚聲：「杜准將在嗎？」

一個老頭呵呵聲走出來，他身段瘦削，白髮白鬚，一雙藍眼睛炯炯如寶石。

他也大聲說：「大作家來了。」

加路將勳章歸還，主人只隨意放一邊。

「安地這是你女朋友？來來來，喝杯威士忌加冰。」

立刻有一個三四十歲風韻猶存的華裔女子婀娜地走出來替他們斟酒加冰。

那女子淺褐色皮膚，窄長面孔，正是油畫中疍家女模樣，她穿一套黑色香雲紗

唐裝衫褲，細腰隆胸長腿，百分百是洋男夢寐以求的東方美女。

女子不發一言，輕俏地侍候他們，看來，跟着准將已有一段日子。

老軍人精神抖擻問：「別客氣，有什麼問題？」

子成問：「一件事令我感動，你們的生命力如此旺健，叫人高興。」

「老兵不死。」

子成老氣橫秋，「為何在此落腳？」

老兵凝視她，「華人是我朋友，我在這裏賓至如歸，這才是我的家鄉。」

「你在本國的親人呢？」

老兵回答：「我是一個孤兒，從軍時十八歲，已婚。」

子成惻然，沒有勇氣再問下去。

對於戰爭，不知怎地，親身經歷的當事人往往可以心平氣和地敘述慘情，但是聽的人都心神俱裂，甚至潸然淚下。

杜准將好似看穿子成心事，笑笑說：「沒關係，你儘管問好了，我樂於年輕人知道。」

「他們母子在何處？」

「年輕妻子懷孕，生產時我不在身邊，亦不知情，四二年我在新加坡被日軍俘虜，囚在集中營，捱餓，患痢疾，稍後做苦工建築泰緬鐵路，四年後盟軍勝利，返國時才知妻子病逝，兒子已經四歲，被一個家庭收養。」

子成聽得心如刀割，淚盈於睫。

老兵語氣並不激動，「殘酷的戰爭可是。」

「那孩子——」

「我去探望過他，領養家庭十分愛惜他，我決定悄悄離去。」

這時加路咳嗽一聲，「准將請說一說你得到勳章過程。」

老兵說：「我返回軍隊，繼續作戰，升了幾級，然後，在一個偶然機會，他們推薦我領取勳章。」他不願多談。

加路說：「你太謙虛了。」

這時那美麗的女子端來一隻瓷碟，裏邊放滿清香的白蘭花，她幫他們添酒。

老兵笑說：「她有一個美麗的名字，叫紫色屏風。」

啊，女子名紫屏。

「我為華夏文化着迷。」

女子把雙手放在老兵肩上，「他學中文已有三年。」

子成笑了，「會看中文報頭條嗎？」

他順手取過報紙：「辦好世貿，有助經濟。」

大家都笑起來。

加路示意子成告辭。

子成意猶未盡，但是，那畢竟是老人，需要休息，他們告辭。

女子送到門口，子成向她鞠躬。

加路在車上說：「杜准將可說享着晚年福。」

子成側頭想一想，「他是美軍，我不知美軍曾到馬來半島作戰。」

「當時他置身英軍隊中。」

「呵，我明白了，那麼，他因何得到最高榮譽？」

「他帶着俘虜營內四十七名同胞逃亡，一人格殺日軍，直至盟軍救駕。」

子成沉默一會，然後輕輕說：「像一套戰爭電影。」

「而且題材不見得新鮮。」

「他很低調。」

「真正做出成績的人多數如此。」

子成忽然說：「路，你也十分謙虛。」

加路大笑，「我，我是老幾？」

子成感慨，「至少你已領有正式營業執照，不知多少無牌小販，把一車貨物推出阻街便大喊大嚷。」

加路說：「你放心，公眾十分聰敏。」

子成問：「准將在日俘虜營中曾經寫信？」

「日軍不人道，不允俘虜與外通訊，他暗藏一本日記，被日軍發現，受到嚴刑拷打，日記是一本不寄的信，寫給他妻子。」

子成用雙手掩着胸口。

「其實該時他妻子已經不在人世。」

子成大叫出來：「不公平，不公平！」

「那些信……」連加路這樣的彪形大漢都哽咽。

子成深深呼吸，「現在他有紫屏，紫屏好似僑民。」

「是，她是馬來亞華僑。」

「難怪如此美麗，若穿上紗籠，必定像個仙子。」

「有時她耳畔別數枚梔子花，給人感覺像是置身熱帶園林。」

子成承認：「准將總算揀回一些幸福。」

加路把機車停好，「來，我帶你看戰爭遺跡。」

一條小小山路通往樹林，站在山崗，可以看到海港另一邊以及碑林似的大廈。

子成脫口問：「這是什麼地方？」

「這是西摩山，那邊是伶仃洋。」

「我家地點名稱反而要問洋客。」

加路笑，「看到這塊牌子沒有？」

只見雜草中一塊水泥牌上刻着剝落字樣：「一九四二年……英軍第……隊」。

「英聯邦盟軍在香港集合，以為三兩下手勢就可以打發東洋人，他們先在灣仔一帶尋歡作樂，然後操練建戰壕，安排兵器，誰知就在聖誕前夕，被日軍一夜之間攻陷。」

加路帶着子成撥開雜草，看到用鐵欄遮住的小小戰壕入口。

子成忽然之間像是聽到將領吆喝下命令的叫聲，子彈呼嘯，鎗火轟轟，軍士受傷慘叫呻吟，愁雲密佈……

子成用兩手掩着雙耳，蹲到在地。

加路將她擁在懷中，把她頭抱在胸前，「對不起，我不知你會受不了。」

過一會，子成嗆咳，深呼吸，「我沒事。」

他扶她站起來，「可以乘機車嗎？」

子成點點頭，但是覺得手軟腳軟。

他們自山頂回到市中心，只見一片繁榮熱鬧，精神颯颯的年輕人衣着時髦整齊步操着過馬路，哪裏有半絲戰爭跡象，歷史早已被人遺忘，恍如隔世。

子成不勝欷歔。

「你回家休息吧，明早我再找你。」

子成點點頭，在門口加路再擁抱她一下。

女傭打開門，看到應小姐混身汗濕，形容憔悴，不禁吃驚，她不動聲色，「應先生與太太出去了，我替你準備茶點。」

「我會自己動手。」子成不慣給人服侍。

她淋浴更衣，倒在床上睡着，她做了噩夢，只見整間醫院都是損手爛腳的軍人，有的失去四肢，有的失去雙眼，都在輾轉呻吟。

忽然之間她認出曾大品，他混身鮮血，她撲過去，剎那間大品變了一個樣子，呵那是加路，紅棕髮上血跡斑斑，子成大聲慘叫起來，「不，不！」

「子成，子成，醒醒。」

子成睜開雙眼，看到母親在她床邊。

「子成，怎麼了，做噩夢？喝碗綠豆粥降降火氣。」

子成不能抽離，十分苦惱。

她喝一口清甜薄粥，定下神來。

「你到什麼地方去了，見什麼朋友？」

子成長長吁出一口氣，這時才看到床邊大包小包全是名牌衣物，光是鞋盒都十多個。

「這些都是你的行頭，入鄉隨俗，在羅馬依照羅馬規矩，你那些爛球鞋不能穿了。」

「我絕對不穿有損健康的高跟鞋。」

「女兒，平跟鞋也有極之漂亮的選擇。」

母親變了，她容光煥發，化妝明艷，穿着小腰身套裝，在家也穿半跟鞋。

「子成，接着一個星期我每晚都需跟你爸外出應酬，他像是要重新介紹我給社交界認識，我不可令他失望，我下午就得開始妝扮，我是他的面子，子成，你——」

子成打斷母親：「我不是任何人的面子裏子，我是我。」

「子成，他供你讀到大學。」

「那是他的責任。」

應太太詫異：「你們這一代毫無包袱。」

子成卻說：「我感激他，但我不會犧牲自我。」

應太太說：「你來看看哪些晚裝適合我。」

「我聽蘇銀說過：如有疑惑，穿上旗袍。」

「那太老氣了。」

「你的確已是老人家，媽媽，若你出了事，新聞版上會刊登：五十餘歲老婦食物中毒，該名老婦……」

應太太「啐」一聲走出女兒房間。

子成用冷水洗臉。

空氣中濕氣已經夠重，再加上沿海，鼻端似有股鹽花味，這亞熱帶都會真叫子成迷惑。

范朋有電郵找她，子成不由得向他申訴：「市聲嘈雜，耳畔永遠有嗡嗡聲音，起碼廿餘分貝，人們講話聲音也相應提高，有種茶樓一走進去便會頭痛，許多公眾場所仍未禁煙，有些衛生間情況駭人……」

范朋答：「你受到文化衝擊。」

子成說下去：「有種肉食市場，動物屍體血淋淋掛在鈎子上展覽，又隨時宰殺禽鳥，棄桶內掙扎，我看得目瞪口呆。」

「中東市場也如是，毫不虛偽，實事求事，你以為家鄉雞及漢堡肉從何而來？」

「呦。」

范朋笑，「真羨慕你，處處有家。」

「我若真不習慣，回到北美，就得住宿舍，自己動手洗衣服煮杯麵。」

「很好呀，同每個人一樣，對不起，我沒像其他人那樣寵你。」

「真正寵愛我的，只有家母一人。」

「我盼望認識這一位慈母。」

子成想起，「范朋，傳一張照片給我。」

「我並不高大英俊。」

「咄，你把我看得太過膚淺。」

這時應太太推門進來，「子成，這件晚服可好？」

子成一看，慘叫一聲，「媽媽，快脫下，你像六十年代中式夜總會三線歌星。」

「衣服是你爸挑的。」

「他陷害你。」

子成對范朋說：「我有事，我要救媽媽，改時再聊。」

她走到母親衣櫥，打開，挑出一件銀灰旗袍，及一串珍珠項鍊。

然後替母親頭上噴水，按低兩鬢，再用化妝棉拭掉過紅胭脂。

「太素了。」

子成找到一支大紅唇膏，替母親搽上。

「啊，起死回生。」

母女百無禁忌，相擁而笑。

應鉅容剛好回來聽到，不禁感染，也微微牽動嘴角，這年頭不易聽見銀鈴般歡暢笑聲，多數是奸笑，苦笑，皮笑肉不笑，又有人笑得比哭還難看。

他問：「笑什麼？」

他看到風韻猶存的妻子皎白臉容以及大紅櫻唇，站在妻身邊的是與她年輕時一模一樣的女兒。

他忽然覺得虧欠了她們，不禁低聲下氣的說：「子成，你也一起來。」

子成忙不迭推卸，「我有約。」

應鉅容追究：「約的是誰？」

子成無奈：「功課。」

「我取了清華章程，你參閱後可考慮是否轉校。」

「我中文程度十分不妥。」

「你是國際學生，可努力練好中文。」

應太太相求：「子成，陪媽媽一起去。」

「我沒有衣服鞋子。」

「店家猶未打烊，馬上選購還來得及。」

子成拾起母親剛才脫下的歌星粉紅亮片裙子，「我穿這件好了。」

同一件俗艷的裙子，穿在年輕窈窕的身上，效果完全不同，子成把頭髮打平往後梳貼，因不會穿高跟鞋走路，改穿芭蕾式平跟鞋，她不戴任何首飾，雙手放在背後，觀光客模樣，隨父母到宴會。

子成看到眾賓客穿戴上億珠寶，百萬華服，但是太多脂粉，太少靈魂。

可幸菜式鮮美絕妙，子成吃完自己那份，意猶未盡，連母親那份也報銷掉。

然後，她同母親說：「我想早退。」

應先生替女兒打電話叫司機到樓下接她。

她一離席，立刻有三兩名年輕男子跟着站起尾隨。

子成轉身投以冰冷目光，他們只好訕訕往酒吧方向走去。

只有一人鼓起勇氣護送她到樓下。

他不說話，子成也不出聲。

司機把車駛近，那年輕男子替她開車門。

「應小姐——」他說。

子成已經關上車門。

她的心在什麼地方？在坎達哈的灰紫色沙漠。

她同范朋這樣說：「人造，全部人造。」

范朋報她以笑聲。

第二天應太太喜孜孜對她說：「昨晚許多人問那冷冷的漂亮女孩是誰。」

子成把手臂枕在頸後，只要母親高興就好。

「你爸覺得很有面子，他介紹你叫ZZ，Zi Zhen。」

子成閉上雙眼，裝出鼻鼾聲。

母親忍不住笑，「子成，你自小天生頑皮。」

母親又低聲說：「有個漂亮女兒多好，告訴媽媽，你擇偶條件如何。」

子成不說話，她喜歡魁梧男子，像加路那樣，不修邊幅的時候像個雪人，隨時可以保護她，或者像范朋，在戰場也可以存活，又或者是周曙博士，具專業學問，他們都是雄性動物，性格鮮明。

自小她看慣男同學打冰曲棍球、英式足球、滑雪、划獨木舟……她認為男子應有大量睪丸素。

都會男子伸出雙手，十指纖纖比女子還秀氣，子成實在受不了。

她聽見母親對親友絮絮說：「是，回來了，用到這個回字彷彿不應該，但又不知怎樣說好，是呵，見風駛舵，只可共富貴，不可共患難。」她自我檢討，一邊笑嘻嘻。

但母親不是這樣的人。

她從前每週一送大量罐頭食物到食物倉庫救濟有需要的人，又每年在感恩及聖誕節到救世軍廚房揮汗做免費晚餐。

但是嫁雞隨雞，她必須變型跟着丈夫方向走。

這時傭人請子成聽電話。

子成沒說兩句就歡呼起來。

應鉅容好不詫異，這女兒連吃到一隻雞蛋都會開心大叫，晴天她雀躍，下雨她又歡喜，他若像她就好了，難怪人人樂意親近她。

應太太問：「什麼事？」

「蘇銀在樓下！」

應太太歡喜得跳起來，「快迎上來。」

應鉅容莫名其妙，「誰，誰叫你們這樣高興？」

歡愉會得傳染，忽然連他也覺開心。

門一打開，只見一個標致年輕女穿着牛仔靴提着大背囊張大雙手大步踏進，她一邊笑一邊嚷：「群抱。」

應家母女與她抱成一堆。

應鉅容搖頭，這是北美習俗，笑或哭動輒抱在一起，快樂與失意都擁成一堆互賒力量。

「你怎麼來了，無任歡迎。」

「我來度假，子成你要熱情招呼。」

應太太說：「你同子成一樣混身臭汗，速去淋浴休息。」

她介紹蘇銀給丈夫認識。

兩個女孩搭着肩膀進房去。

應鉅容發獃，這個叫蘇銀的女孩像一道金色陽光，年輕真好，他想起當年他在

大學裏偷偷看班裏美女，感覺也相似。

蘇銀站在蓮蓬頭下說：「子成，投你所好，我帶一首詩給你。」

「詩——我的所好——呵蘇銀，我想起來了。」

「記得嗎，十五歲讀高中一，由伊雲斯太太教授，當年不甚留意，強記背誦，考試後擱置腦後，前些日子忽然靈光閃現，想了起來。」

「人腦勝於電腦就是我們毋須順序抽取記憶，我知道這是奧雲在一九一八年寫的『甘心與正確是——』，啊，肯定是第一首反戰詩呢。」

蘇銀興奮地說：「那是Dulce et Decorum est。」

子成黯然背誦：「他首先描述戰場慘況，年輕士兵吸入毒氣，喉嚨發出遇溺般可怕聲音，泣出血來，倒地死亡……最後四句，他寫：『我友，你不會再興奮地歌頌，對尋求絕望榮譽的孩子們說這個古老謊言：為國捐軀，甘心與正確：Dulce et Decorum est pro patria mori』。」

「是，是，你記憶完全正確。」

「誰以拉丁文鼓勵為國捐軀？」

「我查過了，那是公元八世紀前古詩人賀瑞士，他這幾句詩在一次大戰時被廣泛用作宣傳用途。」

她裹着毛巾自浴室出來，「子成，我是你，會用這詩名做報告題目。」

子成想起：「一次大戰德軍可曾採用芥子毒氣？」

「也可能是氯化碳醯，詩人形容得如此逼真……真殘忍，開頭他就沒把軍隊寫成雄糾糾氣昂昂，他說他們像老丐般疲乏麻木，衣破鞋甩，全身是血。」

兩個女生靜默。

稍後蘇銀換上子成的內衣外衣。

「我要出去一下，我約了人談生意。」

「你不是來度假？」

「我有朋友的朋友在銅鑼灣開設二樓咖啡店，一共三十個座位，我與他洽商籌辦極速約會，我負責宣傳及主持，三七分賬。」

「你要當心，外邊有許多人狼。」

蘇銀哈哈大笑，「我亦不是小紅帽。」

應太太聽到拉住她：「蘇銀，找陌生人合作危險，不如與我合辦，我也有朋友開茶室。」她與蘇銀密斟。

女傭進來說：「小姐的電話。」

啊，連子成都詫異，「這麼忙。」

只聽見對方輕輕說：「你猜猜我是誰。」

子成立刻認出他的聲音，笑答：「你是阿里士多德，我是阿歷山大帝，你有何忠告，周曙師傅？」

對方可不就是周曙，他繼續輕輕說：「阿里士多德是個渾人，他至死不願承認世上最小元素是原子，又同阿歷山大帝說：除卻羅馬人，其餘都是蠻族。」

子成大笑，「你在何處？」

「我也回來探親，我住在表姑家裏。」

「啊，」子成開懷，「我太想念你，我們幾時可以見面？」

「我每天都有空。」

這時，子成的手提電話響起，她一聽，卻是加路，她想一想，「我介紹你們認

識，請你們一小時後到我家來吃茶。」

她吩咐女傭做雲呑麵雞粥及春卷。

周曙先到，應伯母最高興，立刻問：「周博士你是順路，還是特地來訪子成？」

「本市大學沒接收我！我特地來看子成。」

他臉上的雀斑雀躍，看上去十分興奮。

應鉅容正要回公司，一看這麼多人如此熱鬧，便說：「下午六時我請吃飯。」

大家歡呼。

接着加路也來了。

他長得高大，一個人佔一張三座位沙發，子成便坐在扶手上。

周曙立刻知道這人是他的假想敵，心中咕噥：遠道來訪伊人，誰知還有第三者。

那邊應太太正在與蘇銀研究合作極速約會，她把茶座主人也叫來，開會，三人在書房談得津津有味。

「一星期舉行一次，當然是星期五傍晚六至七時，五分鐘換一個對象，談幾句，合眼緣可與主持登記號碼，收費：每人五百，女子兩百，可減少無聊客人。」

加路對雲吞麵讚不絕口……「為這些小食便可留在本市一輩子：請問可有普洱茶？」

周曙忽然問他：「你覺得子成有什麼優點？」

子成愣住，「喂喂喂。」

加路不慌不忙呷一口濃茶，不徐不疾地答：「我已愛上應子成，你說呢？」

子成連忙說：「我也愛你，好了，我們談別的吧。」

可是周曙不願放棄，「三人之中，誰的年紀最大？」

加路說：「我三十一，肯定我最大，所以我完全知道自己在做什麼。」

子成答：「我廿一，我也不小了。」

周曙說：「我廿七。」

子成急得暗暗流汗。

幸虧這時蘇銀出來吃春卷。

子成取笑她：「蘇你應讀商科。」
蘇銀歎口氣，「讀歷史沒意思，不過是一場接一場的戰爭。」
子成說：「據說凱撒大帝，知曉阿歷山大帝在他那歲數已征服的疆土範圍時，痛哭失聲，人類永不滿足。」
蘇銀問：「為什麼他們都稱大帝，因殺人最多？」
大家紛紛議論：「伊凡雷帝，嘩，稱呼更駭人，秦始皇帝、焚書坑儒……」
「那時打仗，單對單厮殺，到一次大戰之後，火器發明，才死傷無數。」
應太太走近聽見：「你們為什麼談這樣可怕的題材？年輕人應說尋歡作樂。」
他們轉過頭來，「死傷最慘烈是南北戰爭的蓋帝士堡一役，抑或南非波亞戰爭？」
應太太沒好氣揮揮手說：「我想過了，入場者服裝必須端正。」
大家笑起來。
晚上，子成在露台找到加路，同他抱怨：「好端端大家是朋友說什麼我愛你。」

加路微笑，「你看都會夜景多美。」

「背後多少心血才造就這不夜天，可是也得付出代價：再也看不到北斗星。」

「令尊精神很好，吃完飯還請我們回來喝咖啡。」

子成一言道穿：「他怕寂寞。」

加路到這時才回答：「為什麼說我愛你？因為我已三十歲，我知道我愛你。」

這時蘇銀探頭過來，「找你們呢，應先生想知道為什麼我們氣質與本地學生有點不同。」

加路脫口回答：「因為他們住在家中一世受到寵愛，外國青年十八歲成年獨立脫離家庭。」

蘇銀笑，「美加小學老師看到華裔兒童有專人服侍大都不以為然，他們到了六七歲便結伴步行到學校。」

應太太不以為然，「對，他們還與棕熊搏鬥呢，還有，十三四歲已服食避孕丸。」

周曙答：「留學生多數吃苦，離鄉別井，要茶沒茶，要水沒水，功課緊逼，沒

時間下廚，往往打開一罐果醬，用匙羹勺着果腹。」

蘇銀說：「我吃煉奶，又甜又香，吃了力氣十足。」

應先生吃驚：「怎麼吃得下？」

子成微笑，「肚子餓了，什麼都吃得下。」

應太太惻然，「這同當兵打仗似。」

周曙輕輕說：「寒窗十載，追求學問。」

應先生說：「既然那麼苦，你們卻都不願回來，為什麼？」

加路答：「因為自由，無拘無束，不必西裝領帶朝八晚十。」

子成跟着回答：「我喜愛學習，看到報告上滿分，我如服食興奮劑般開心。」

應太太說：「這是什麼話，真是人各有志。」

蘇銀說：「最苦是生病。」

子成接上：「或是失戀。」

加路好奇：「你曾經失戀？」

子成說：「媽媽一提到吃苦便想起當兵，其實不然，軍方待遇不錯，又提供制

服鞋襪住宿，軍中飲食豐富，有專人做清潔工作。」

周曙笑，「但他們隨時要為國捐軀。」

蘇銀說：「宿舍擠逼，前年有七名男女學生感染腦膜炎，一人死亡，教育局大驚，現在每個學生需注射防疫針，並警告接吻可傳染此症。」

應太太說：「可怕，聽着都累。」

應先生說：「大家休息吧，多謝各位的時間。」

蘇銀笑，「最好的時光。」

應太太說：「年輕最好。」

周曙答：「光有力氣，心中不知多徬徨。」

應太太笑着提點他：「喜歡的要抓緊緊，別放鬆。」

周曙響亮地答：「是，太太。」

子成在樓下送他們，加路先上車，她故意問周曙：「加路說愛我，你好似沒表示。」

周曙笑，「咄，他愛你而已，有什麼好擔心？你愛他，我才心急未遲。」

子成一怔，繼而大笑，真不愧是科學家，竟分析得如此精密。

回到樓上，蘇銀鍥而不捨追問：「你承認失戀？」

子成回答：「我至今想念曾大品。」

「他兵役期滿沒有？」

「他已另外有女友了。」

「也不能怪伯父伯母，曾某通胸紋身，像穿着一件織錦背心。」

「你們以貌取人。」

「Duh，否則還把別人心肝剖開來看不成？」

子成歎口氣，「他們在坎達哈。」

「慢着，坎達哈在阿富汗，該處仍有戰事？」

「石油管道經過何處，何處不得太平。」

「我以為他在伊拉克。」

「加國拒派軍隊往伊拉克，為此吃足美國人苦頭，美駐加大使，一個年輕意裔，指着鼻子罵：『兩國是鄰居，有同樣情形發生，美國一定不會袖手旁觀，但

是貴國這樣對待我們，叫我們痛心』，於是宣佈加國的牛肉、軟木，通通不准進口。」

她們苦笑。

「打伊國之際，軍事專家煞有介事作出預測：美國在地勢險峻的伊拉克恐怕不易討好。可是，當時，連我都想到，對數萬枚會飛的炸彈來說，地勢平坦或險峻，有何分別？」

子成說：「我昨晚看新聞報道，美方努力研製無人飛機及坦克，避免在戰爭中犧牲人命。」

「這個國家竟如此兇悍，你若查究他們歷史，就知道華盛頓及傑弗遜都不過是來自英國的炒地皮專家，怎會演變成這樣。」

「阿當士總統更認為吞併加拿大是上帝意旨，你看他們的國徽，是一隻鷹，可知民族性是何等強悍。」

蘇銀熟讀世界歷史，此刻娓娓道來：「我時時懷疑英人最亡命的一群才會在十八世紀赴北美洲蓬車西征。」

子成說：「英人最可怕的重犯當年全解往澳洲。」

這時，子成聽見鼻鼾聲。

蘇銀已經睡熟。

子成起來寫電郵。

她對范朋說：「你的朋友大品好嗎？今晚，我們談起戰爭，也想到了他。」

這個通訊員像是永遠守候一邊等應子成的消息。

「曾大品已服役屆滿安全返家。」

子成一怔，「什麼時候？何處的家？」

「上星期一下午他興高采烈離開軍營，聽他說，他女友家在蒙特里爾開餐館，他決定盡快完婚，幫着打理家族生意。」

子成沉默不語，心中黯然。

「你應替他高興。」

「這麼快……前後不過一年……」

「你也一定有許多約會。」

「原來我是一個那樣容易忘卻的人。」

「我相信他不會每天惦記你，可是無可避免，在某剎那，他會忽然想起與你在一起共度的美好時刻。」

「有嗎，我反而忘了，我們老是吵架，我父母不喜歡他。」

范朋這樣說：「很少人一次戀愛便宣佈成功。」

「不能想像大品在廚房主理中華料理。」

「他有兵役記錄，申請各種執照比較通融。」

「你呢，范朋，你退役後有何打算？」

「我想返回校園，修讀教育文憑。」

子成說：「我一直覺得中東女子冶艷到極點。」

「是，有時寬大如帳蓬的勃克蒙面長袍也遮不住她們美好身段，有風吹來，絲綢緊貼，更引人遐思，怪不得要把她們緊緊收藏起來，免異性異族起眼。」

「我老是想像，面紗後是什麼樣的雙眼，像豹子，似狐狸？還有她們媚惑的肚皮舞，與嚴謹宗教完全不掛鈎。」

「一個國家有悠久歷史便有矛盾。」

「范朋，你是一個好人。」

「謝謝你，我還有任務，就此打住。」

子成倒在床上也熟睡了。

這一覺睡到中午，應太太覺得不安，推門進去視察。

只見兩女東歪西斜呼呼大睡。

應太太對丈夫說：「沒有心事，像小孩一般。」

「他們有心事也照睡不誤，對，你與蘇小姐談什麼生意？」

「我怕她在陌生人處吃虧，所以陪她玩玩，哪裏是什麼生意。」

「難得你對女兒的朋友也那麼體貼。」

應太太笑笑說：「多少人真金白銀每月捐款到宣明會領養兒童，素昧平生，遠在什麼洪都拉斯厄瓜多爾，我照顧相熟的小朋友，也很應該。」

那時每逢測驗考試，子成總把整盒新筆放桌子上任同學取用，怕他們一時忘記帶筆尷尬，又過節在校務處留下一大箱糖果及小禮物送離鄉別井的交換學生，都是

應太太的吩咐。

「蘇小姐那主意其實不錯，你試辦着，我支持你。」

兩夫妻多年沒有商有量，忽然如此和睦，兩人都彷彿不大好意思。

「你覺得周博士與路作家哪個條件好些？」

應鉅容歎口氣，「兩個都有正當職業，兩個都有健康身體，我不反對，任他們公平競爭。」

應太太說：「這是女孩子一生最好的時光。」

應鉅容忽然發牢騷：「我是一個勢利的人嗎，不見得，但那個曾大品，通身紋身，在車房混飯吃——」

應太太說：「噓，過去的事算了。」

「怕子成聽見？什麼時候開始，父母在子女面前像賊？輕手輕腳，重話說不得，動輒怕得罪他們，我小時候，父母一不高興，兜頭一巴掌，嘴裏還直罵：『討打』，再不聽話，皮帶抽你。」

應太太笑：「行得通嗎，你們父子感情很好嗎？」

應鉅容苦笑。

子成其實已經醒了，她聽到父母在外邊絮絮細語，這對夫婦看樣子終於可以白頭偕老。

蘇銀聽了一個電話出去，她要做極速約會宣傳：「主要在網絡上公佈細節。」

子成接到加路的電話：「子成，我有新資料。」

「你速來我處見面。」

一般年輕男子最不喜到女友家見伯母，在她家行動必須規矩，說話又得有禮，十分拘束，可是加路卻不介意，應家地方寬大，招呼周到，茶點美味。

子成在書房等他。

她已經比較習慣炎熱天氣，穿着男裝線衫與寬大功夫褲，濕頭髮束在腦後。

他定一定神，把一疊照片交到子成手上。

「約翰谷巴，二十一歲的英籍空軍下士，派駐伊拉克。」

子成接過細看，「這是在狹小的戰鬥飛機艙內拍攝，你看，他全副武裝。」

「正是，照片由他手提電話拍攝，傳真給他母親，一共四幀，這是他最後遺

照。」

子成像鼻子中央被人打了一拳，「啊。」

加路歎一口氣，「我決定把這些照片當戰地書處理，納入書中，我已將全本原稿連圖片交給出版社，這本書越寫越沉重，令我食不下嚥。」

照片中年輕人金髮藍眼，似任何一個鄰居青年，眉宇間十分稚氣，但是他永遠沒機會結婚生子，他不會變為中年或老年人。

加路說：「我厭惡戰爭，谷巴下士的母親同我說，她的父親亦是皇家空軍，二次大戰為國捐軀，當時英王喬治六世派人送上一封官樣電報知會噩耗，她母親懷着她這個遺腹女，暈倒在地，無奈國策又再奪去她愛子。」

「這樣的故事訴之不盡，美電視台每週播出捐軀英雄榜：誰誰誰，年廿七，二子一女之父，來自華盛頓州二等兵，喜歡划艇及機械……」

子成用手掩着面孔。

「我的戰地書已經告一段落。」

子成點頭，「我明白。」忽然她覺得疲倦。

「下本書題材比較輕鬆。」

子成振作精神，「那又是什麼？」

「我將寫海洋中群島，在每組島嶼住上一段日子，研究地理文化生物。」

子成羨慕，「嘩，我第一想到阿拉斯加以南的阿留申群島與它特產可地埃棕熊，還有，夏威夷群島是環狀珊瑚礁嗎？」

「不，它們都是地底火山突出海面的尖端。」

子成說：「一個人可以把一生用在這本遊記上。」

加路忽然握住她雙手，「子成，你願意與我訂下盟約一起往這些島上共寫遊記嗎？」

子成愣住，啊。

她沉默一會，取過一本地圖，輕輕翻閱，「中美洲巴哈馬群島與大小安蒂利斯群島正是我最嚮往之地，還有印度洋中的馬爾代夫群島及安達曼群島，菲律賓群島，琉球群島……窮一生之力，未必足夠。」

加路誠懇地說：「子成，我向你求婚，讓我們永久在這些島上度蜜月。」

「嗄？」

「子成，答應我，我保證你生活無憂，笑口常開。」

子成放下地圖，看着這個薄有名聲的寫作人。

生活無憂，笑口常開，一個人還可以要求什麼。

子成心內一陣衝動，張開嘴就要說好，可是終於又合上嘴，維持緘默。

「你要考慮？」他着急。

子成搖頭，「我不能去。」

「為什麼？」加路失望。

「你認識我，我是徹頭徹尾的城市人，我嚮往背囊生涯，但我不會以身試法，我不想離開父母，對不起我叫你失望，我體內沒有你擁有的浪漫因子。」

加路怔一會，輕輕說：「你不愛我。」

「不，我愛你，路，我愛所有朋友。」

他聲音更輕，「我明白，但跟着我流浪是另一回事。」

子成低下頭，愛得遠遠不夠。

「我過幾天就要出發。」

「第一站去何處？」

「新畿內亞的所羅門群島，然後是菲濟群島。」

「那處傳說還有獵頭族。」

「一對一，公平打鬥，適者生存，比大規模戰爭濫殺無辜正義得多。」

子成伸手去摸他頭髮與鬚根，不久，他又會像一塊鬃毛氈那樣邋遢破背囊爛衣衫。

「我將一個人上路。」

「你不會寂寞，世上每一寸陸地都有中國人，因此也肯定有漂亮的中國少女。」

加路啼笑皆非，「已經要把我推薦給別人了。」

「路，請與我保持聯絡，還有，別忘記柏太太。」

他收拾好照片，放進背囊，「你不必來送行。」

「路，我真不捨得你。」

「我們都會沒事，你如果改變心意，想追上來的話，請與我編輯室聯絡，他們知道我每一個路程。」

他深深吻子成手心，子成送他到門口，巧遇蘇銀回來。

「什麼事？兩人都眼紅紅。」

子成關上門，深深吸一口氣，「他來道別。」

「你可以跟他走。」

「蘇銀，我知彼知己，我與你一生是城市人，白天工作或功課無論多麼辛苦，晚上總得用香皂淋個熱水浴，吃一碗魚丸粥，在自己床上睡足七小時，怎可逐組島嶼流浪，你以為我十六歲？我會死在南太平洋。」

「那也夠浪漫。」

「那麼你去好了。」

蘇銀冷笑，「我才不會騙自己，我努力賺錢是正經，眼看就三十了，年老色衰，以後吃粥吃飯，就看這幾年掙多少，我還去珊瑚礁探險呢。」

子成點頭：「愛得不夠。」

蘇銀承認：「愛得夠就學三星企業的太子女。」

「幸虧愛得不夠。」

否則跟了上去，一年之後，筋疲力盡，首先頭髮皮膚不得好死，變得乾枯粗糙，接着，指甲綑上黑邊，樣子邋遢，索性圍上沙龍，紮條頭巾，扮成土著，住在民宿，下鄉勞動……

不久，某日在陽光下，對方看清楚了，會大吃一驚：這就是我去年邀請私奔的那個女孩，怎麼會又老又頹？過去的秀逸呢？

不過，子成還是去送加路。

在遠處肯定只得他一個人，才緩緩走近。

加路的髫髭已經長滿半張臉，濃眉長睫的他轉過身來，看到子成，再也忍不住擁住她，他把下巴扣在她頭頂，「我會掛住你一輩子。」

他胸前肩上掛滿攝影及通訊器材，子成並未能靠貼他胸膛。

「怎麼知道我乘這班飛機？」

子成提醒他：「你不是叫我同編輯室聯絡？」

「子成，跟我一起走。」他作最後邀請。

「路，抱歉我不是那塊料子。」

「那麼，」他把一張光碟交給她，「這個送給你。」

子成訝異，「這是什麼？」

「我的戰地書內文撰要，我代你寫的報告。」

子成意外，「抄襲或剽竊零分，記大過一次。」

「書要六個月後才出版，說是我抄你好了。」

子成微笑，「我愛你。」一邊收好光碟。

路悻悻，「愛得不夠。」

時間到了，他必須離去，二人黯然說再見。

子成獨自在候機室靜坐，忽然看到地上有一張報紙，她拾起，讀到國際新聞小標題「耶城或一分為二，以色列與巴勒斯坦領導皆謂歡迎。」

子成長歎，獅心王李察與沙拉丁大帝打得不分勝負之後一千年，耶路撒冷問題尚在僵持。

她離開飛機場回家，母親的電話已經追到。

「子成，快到交通坊十號地下來。」

「什麼地方，那裏不是酒吧餐館林立之地？」

「子成，來看奇蹟。」

子成匆匆乘車趕到交通坊十號，只見一條老長人龍，約百來人，從坊頭一直排到坊尾，輪候者都是衣著時髦整齊的年輕男女，紛紛對後來者說：「喂，不准打尖」，有些已經攀談起來：「你在外國參加過極速約會？說來聽聽，我也好奇，會是陷阱嗎？」「不要透露真實姓名地址。」

子成忽然明白了。

她微微笑，這麼多適齡男女，都是為着尋找伴侶而來，乘機開開眼界，研究一下這是一個什麼樣的新鮮玩意兒，子成走到門前，被護衛人員擋住。

「小姐，請排隊。」

子成忙說：「老闆是我朋友。」

護衛員笑說：「那是一定的，我相信你，請排隊。」

子成打電話給母親。

應太太笑：「我出來接你。」

應太太不久出現，向子成招手，子成不忘向護衛員瞪眼。

「生意這樣好？」

應太太興奮，「是，今日看樣子要開兩班。」

「蘇銀呢？」

「滿場飛。」她伸手一指。

果然，子成看見蘇銀穿着一套黑色火摩京在指揮全場。

子成說：「嘩，看上去像舊上海白相人嫂嫂。」

母女相擁而笑，只聽到場內也笑聲不絕，氣氛輕鬆歡愉。

子成感慨，在狗一般的生涯裏，能夠叫人笑，真的功德無量，哪怕是一刹時也是好的。

「你看，人客多高興。」

「桌子上茶水另計？」

「那當然，我們的酒水都用密封蓋好，免人下藥。」

子成看母親，士別三日，媽媽也開始有江湖味，她是這裏的二當家。

蘇銀走近，興奮得紅光滿面，「同美加不一樣，這裏的客人幾乎都在三十五歲以下，沒有中年人，他們不用我們搞氣氛。」

「有沒有人鬧事？」

「暫時沒有。」

蘇銀吹一下口哨，用揚聲器說：「一小時約會時間已經結束，請各位離場，讓位給門外輪候客人。」

各人意猶未盡，徒呼荷荷。

子成搖頭，「蘇銀從此墮落，她再也不會想升學，她就快要發財了。」

門外有聞風而來的記者。

子成靈機一動，「拒絕採訪，」她說：「叫他們更加好奇，他們如派人臥底，報告自然精彩。」

咖啡店老闆娘出來說：「我有那麼多諸葛亮，一定旺財。」

子成說：「我有事先走一步。」

在門口碰到父親，他也來參觀，看到場面熱鬧，不禁說：「和氣生財，多好，要打，打經濟戰：比誰賺得多，誰名氣更大。」

子成拍拍父親肩膀。

回到家中，她一個人做功課到深夜，她參考加路給她的光碟，沒敢照單全收，只採用幾個重點。

肚子餓了，沒想到傭人為她燉了糖雞蛋。

這一定是應太太的懷柔政策，叫女兒一輩子離不開家。

近天亮，才聽到父母與蘇銀回來。

這時，她的報告也已經寫好，她傳真出去給她在北美的講師，她希望得到一個甲級分數，八十六是不夠的，最好九十，或九十二。

子成對范朋說：「大家應握手言和好，為什麼要打仗？」

范朋答：「呵呵呵。」

「有大品的消息嗎？」

「他很開心，希望妻子早日懷孕，一年一個，一共三名，子女不拘。」

子成黯然，「其實我已不大記得他這個人，我只記得失戀傷痛，之後，我才明白，父母對我的愛，並不全無條件。」

「他們已經夠好。」

「你呢，你很少說到自己，也不願出示照片。」

「我貌不驚人，才疏學淺，唯一優點，是有自知之明。」

「那在人類眾多美德中佔首位。」

「謝謝你，子成。」

「我的朋友加路已經功成身退，又出發到別處去了。」

「還有一個周博士在身邊可是？」

子成發覺無意之中，范朋已成為她傾訴對象。

「告訴我，坎達哈的月色如何？」

「說來也許無人相信，月亮每晚都又大又清晰，幾乎可以看到吳剛與他那株桂花樹的影子。」

「寂寞嗎？」

「習慣了，有空到鎮上中菜館吃糖醋排骨，全世界都有願意熬苦的華人。」

子成這樣說：「一代不如一代，我怕吃苦，否則，我會跟着加路走。」

「你喜歡他？」

子成改變話題：「為什麼至今仍然駐軍阿富汗？」

「因為相信奧沙藏匿在阿富汗與巴基斯坦邊境。」

「真可笑，以前報章稱他賓拉丁，現在太熟這個人，索性叫他第一個名字。」

「你可知道，假如美國所有汽車每加侖汽油可以行駛多兩哩，就根本毋須向中東購買石油。」

子成回答：「然而他們不願放棄耗油量極高的各類四驅車，真是惡習。」

「也許，還有其他原因。」

「范朋，說來聽聽。」

「我大學時有一個同學，功課非常優秀，遠近馳名，所有報告都獲得發表，他把所有時間都用在功課上，辛苦之極，時時抱怨，我勸他：『誰叫你喜歡考第

一』，誰知他訴苦：『我從來不喜歡第一，我只是不喜歡別人第一』。」

子成若有所思。

范朋接上去：「誰取到能源誰便是強國，即使沒有需要，也不能讓別人到手。」

子成到這個時候才回答他的問題，「我喜歡強壯肩膀。」

「最強壯肩膀，在你自己身上。」

「家母也那邊說，太沒意思了，誰不想躲懶在大肩膀上靠一靠。」

「我身段瘦削，你一定不喜歡。」

「在這裏，肩膀指意旨力，忍耐、愛心。」

「路先生有大肩膀嗎？」

「我不知道，他到所羅門群島去了。」

「啊，所羅門群島，我知道那個地方，非常詭異，二次大戰日軍曾駐扎該處，大量清理熱帶雨林作飛機跑道，戰敗後留下不少飛機殘骸，我去的時候只見叢林獲勝，巨大攀藤植物盤踞，包裹整輛卡車、飛機，把它們捲上半空懸掛，像進入蠻荒

，至今難忘。」

子成驚歎，「你認真見多識廣。」

「我當時想：日軍到所羅門群島幹什麼，是否發瘋，又緣何轟炸珍珠港？」

「征服全世界。」

「世界還不足夠。」

「我想休息，趕了通宵功課。」

范朋說：「與你聊天真是有趣。」

她洗把臉，蜷在床上睡熟。

子成做噩夢：她在叢林中飛奔逃命，全身破爛，已經筋疲力盡，耳邊聽見子彈呼嘯聲音，原來她置身戰場，一輛轟炸機追上，火球一個接一個冒起，子成可以清晰看到飛機上鮮紅太陽旗標誌；她背揹着一個啕哭的幼兒，子成忽然蹲下，她盤坐在泥河裏，閉上雙目，接受命運安排。

這時有人群推她，向她吆喝，子成睜開眼睛，聽到尖銳震耳欲聾的警報聲，穿着日本和服的男女呼叫着奔走，子成聽不懂他們嚷些什麼，背後那幼兒已哭得聲嘶

力竭，子成抬頭，這次看到的戰鬥機上標誌轉了式樣，是一顆星後三副旗，正是美利堅合眾國的軍機，一聲呼嘯，四周圍人彈起，血肉橫飛，濺到子成頭臉，她抹去污漬，大力喘氣……

「子成，子成，周曙找你。」是媽媽的聲音。

子成滿頭大汗，睜開雙眼。

「周曙來看你，在書房等着你呢，他說一早約你，你怎麼不記得。」

「對不起，我十分鐘就好。」

子成連忙淋蓮蓬頭，她靠在浴室喘息，可怕的戰爭。

如果不是夢境，她一定不能存活，她揹着的幼兒也不會有命，可憐的孩子，她只聽到他驚怖哭聲，她沒看到他是男是女。

子成做了冰茶，灌下兩杯，精神總算略為振作。

周曙看着她微笑，「對不起吵醒你。」

「周曙，」子成猶有餘悸，「我夢見戰爭。」

「你的報告寫妥沒有？」

「已經寄出。」

「那好，告一段落，下次你可選擇較為輕鬆題材。」

子成訴苦：「像真的一樣……」

他笑：「我知，我知，你腦裏資料太過詳盡。」

子成見他取笑，心有不忿，伸手去剝他臉上雀斑，他雪雪呼痛，可是笑得十分高興。

「我開始夢見被日軍轟炸，後來又夢見捱美軍炸彈。」

「戰爭沒有贏家。」

應太太捧了一盤水果進來。

「子成，我與你爸要到上海去幾天。」

周曙連忙說：「伯母放心，我會照顧子成。」

應太太看看他倆，「那我就安樂了。」

「伯母可否順道替我找一找懷素的帖子。」

應太太意外，「你練草書？」

子成大惑不解，「什麼懷素？」

應太太笑，「對牛彈琴，子成你最不長進，你看人家周博士，讀的是頂尖科學，卻不忘練寫書法。」

子成氣結，「周曙恭喜你找到忘年知己。」

應太太出去了。

周曙笑得前仰後合。

子成不忿，「我知道王羲之，我知道米芾。」

周曙握緊她的手，「子成，我來找你，是想告訴你，有難得機會，可以參觀一艘核子航空母艦，你可有興趣？」

子成一愣，「哪一艘？」

「尼米茲號。」

「尼米茲在本市？」

「噓。」

子成吞一口涎沫，「我願去。」

「那好，跟我走。」

子成立刻換上長褲球鞋，跟着周曙出發。

他們乘一輛吉甫車到達碼頭，只見龐然巨物，大白天無遮無掩停泊海港，每個人都看得見，可是一個記者也無。

市民對這種新聞不感興趣，所以記者全部去跟蹤小明星發掘桃色新聞。

太平盛世，應當如此。

周曙把她帶到辦公室，美軍出來招呼，周曙出示文件，當場拍照印製通行證，掛在胸前，經過兩次儀器搜查身體，順利放行。

登上航空母艦，周曙問：「共十二層樓，你最想看什麼地方？飛機艙庫恕不招待，還有，不准拍攝。」

「引擎與控制室呢？」

「很抱歉。」

「那麼，我想看看部隊宿舍及廚房。」

周曙笑，「廚房？啊對，糧草先行，十分實際。」

子成知道這是千載難逢機會，決定金睛火眼觀察，她鑽下甲板，發覺通道、樓梯，走廊都只容一人通過，十分狹窄，可見必須經濟利用空間。

但是廚房卻設備齊全，地方寬大，十多名白衣大師傅揮汗操作，一名二等兵做嚮導，他說：「廚房廿四小時運作，食物十足水準。」

子成趨近一看，只見整盤牛排、炸雞腿、漢堡……都是美人喜愛的油膩食物。

「這邊是水果、沙拉、頭盤、湯類，還有少不了的蘋果餡餅及各式冰淇淋。」

他們邀請兩位人客午膳。

子成點一客洋蔥湯與一碟蛋餃，味道上佳，同大酒店水準一般，子成讚不絕口，吃不好，怎麼打仗，即使打生活的仗，也得全神貫注。

二等兵嚮導是大美國主義，年輕人不住標榜，本國強大壯健，子成按捺着不出聲，做人客要有禮貌。

終於他說：「國會正考慮是否應在美加邊境築一道圍牆，防範恐怖分子及非法入境者。」

子成喝完咖啡，輕輕說：「可否領我們去看你的宿舍？」

年輕的軍人很愉快：「是。」

他們住所十分狹窄，連轉身都講技巧，可是設備齊全，整潔衛生，他們沒有私人空間，與軍艦化為一體，彷彿也是另一枚雷達，或一枝火箭炮。

子成暗暗欽佩。

「這是我們的圖書館，禱告室以及學習室。」

子成留意到沒有窗戶，可是空氣調節舒適。

「母艦在海上航行有時達三四個月。」

子成心一動，「通訊室在何處？」

「在頂樓，一組五人，廿四小時當更。」

「可以去看一看嗎，在門口探望一下。」

嚮導笑着搖頭，「過些時候小鷹號會駛來，打算招待公眾參觀，屆時小朋友可到控制室及甲板遊覽。」

子成隨口問一句：「想家嗎？」

那神氣活現的年輕人忽然雙眼發紅。

子成輕輕拍他手臂，她點中他死穴。

周曙問：「我來自加州，你家在何處？」

「田納西，」他回答，「四兄弟姐妹。」

是呀，子成想：他們都是別人的子女或是兄弟姐妹，夫妻，以及好朋友，他們不是一個號碼，他們不是炮灰。

子成獲贈一本小冊子，叫做尼米茲號簡介，上面刊登有趣數字，像艦上通道一共有十七哩長之類。

他們回到岸上，恍如隔世。

周曙看着子成笑：「多謝你不說話。」

「這門工夫我已練得不錯。」

「說時容易住口難。」

子成欷歔，「聽到沒有，在美加邊境築圍牆，柏林圍牆才拆下，又要築牆，回到秦始皇時代，這條圍牆，可比萬里長城還壯觀。」

周曙只是陪笑。

「多謝你給我這次機會。」

「我知道你對尼米茲號着迷。」

子成說：「尼米茲本身是海軍元帥，美航空母艦統統以名將命名，像艾森豪，麥克阿瑟，我們朋友蘇銀往夏威夷曾在珍珠港亞里桑那號紀念館找到全套航空母艦資料冊，十分難得。」

「你們兩姐妹興趣特別。」

子成微笑，「蘇銀似乎打算從商，她隨家父母往上海找咖啡室舖位做極速約會生意。」

「所以我還是喜歡你多些。」

「因為我笨。」

「不是最聰明的人，會有充份信心自謙笨人嗎？」

「我哪有你說得那麼好。」

「你也到我親戚家看看。」

子成一口答應。

周家親戚住在近郊海邊，空氣一陣鹽花香，棘杜鵑開滿籬笆，子成詫異說：「像意大利卡普里島。」

「你們這些歐陸信徒看到什麼好的都與歐洲比，什麼上海像巴黎之類。」

小小白色平房，打開門，一陣清風，窗前海景，似一幅圖畫。

「誰說都會不好住，那些人不知門檻而已。」

「他們一家人到倫敦去了，我一個人住。」

周曙斟出香濃咖啡。

子成聽到熱帶獨有知了鳴叫，嗜——長長一聲。

她歎氣說：「我的新年願望是世界和平，真的不能再打了。」

周曙笑，「新年還沒有到。」

子成說：「我看過一則童話故事：在黑暗的雨夜裏，兩個人為躲雨在破屋相遇，談得很愉快，覺得對方可以成為好友，約定改日再見，雨停了，兩人話別，走到門口，剛好月亮出來，原來他們一個是狼，一隻是羊，狼立刻撲殺了羊，那是牠的本性。」

周曙不出聲。

「下一個報告，我想寫最低工資工人生活實例。」

「啊，談剝削。」

「或是寫中小學功課繁複深奧至不合理水平以及對青少年生心理影響。」

周曙稱讚：「都很好，我都有興趣拜讀。」

子成舒一口氣。

周曙閒閒說：「那大個子作家不是宣佈愛上了你嗎，為何又離你而去？」

子成也笑，「那樣才夠蕩氣迴腸呀。」

「他是嚴肅作家呢，抑或為金錢而寫？」

子成回答：「經濟社會，所有牽涉到金錢的事宜都是嚴肅的。」

周曙想一想，「正確。」

「他要求我跟他走，我放不下父母，功課，以及原有生活方式，他也不願為我捨棄自由自在漫遊寫作生涯，初步洽商已經遭到滑鐵盧。」

「我贊成一人一步。」

子成搖頭，「他要求女伴追隨身邊，沒有商量餘地。」

周曙暗暗歡喜，「這也是一種戰爭，一舉征服對方，以後無憂無慮。」

子成搖頭，「多麼自私，你是那樣的人嗎？」

周曙立刻表態：「我願意為我愛的人犧牲。」

子成撫摸他手臂上的雀斑，「你不知什麼叫犧牲，像家母，默默為家庭犧牲，放棄所有：自尊，自主，自由，忍受精神痛苦，克服生活上勞累，人家看她，也不過是一個不愁生活的普通家庭主婦。」

「我有正當職業，安穩收入，我無不良嗜好，我從未訂婚或結婚，無私生子女。」

子成吃一驚，「這是什麼宣言？」

「我已準備妥當，我們隨時可進一步發展。」

「你的工作沉悶刻板，從一間大學的講室到另一間，最終升到院長，那是你的天地。」

周曙想一想，「你說得對，子成，魚與熊掌，不可兼得。」

「我真正想要的是什麼？」周曙迷茫自問：「我真正真正真正真正要的，究竟是什麼？」

周曙凝視她，「說來聽聽。」

「我自己也不知道，」子成訕笑，「我已經得到太多，我只希望世界和平。」

「你不敢說出來。」

子成不吭聲。

「你想得到什麼，子成，說給我聽。」

子成笑，「一客紅豆冰。」

「我幫你去找。」

可是他們找到的只是泡沫紅茶，珍珠奶茶，沒有那種原始的，盛在厚玻璃杯裏的紅豆刨冰。

「我記得刨冰上還可以澆上櫻桃與薄荷色的蜜汁，顏色可怖，滋味極佳。」

兩人笑得打跌。

這可是應子成一生中最好時光？抑或，將來老了，回憶起來，除卻掙扎，一無

所有，她根本沒有最好時光，算作是最好的，也不過如此。

深夜，子成與范朋通訊。

范朋十分詫異：「你參觀了尼米茲號的廚房？」

「那並不算重地。」

「尼米茲號四周一海哩範圍都算重地，你朋友是何身份？」

「他是教書先生。」

「他太刻意討好你，你們用什麼證件入內？」

子成說：「他用一枚紫色證件，我的是紅色。」

「紅色是訪客，紫色是職員證。」

「職員？」子成愕然。

「你的朋友，他教什麼科目，可是核子物理？」

「你怎麼知道？」子成睜眼。

范朋先不出聲，隔一會，才答：「我不過隨意猜測，因為尼米茲號上，有兩座核反應堆。」

「我怎麼沒想到，因此許多國家都不歡迎核動軍艦進入她們港口，可是周曙擔任什麼職位？」

「那就要問他了，子成，我不方便說他人是非。」

「范朋，你是通訊員，你可查看有關網頁。」

「軍方網頁限制查閱，即使能夠，我也不會那樣做。」

子成定定神，「我不會勉強你。」

「周先生一定是把你當作他的學生帶你參觀。」

子成問：「為什麼？」

「討你歡喜。」

子成說：「我想起來了，最近美太空署宣佈將派出新視平號探測器前往冥王星及其衛星謝朗，這是前所未有之舉，探測器由尊斯合堅斯大學應用物理實驗室建造，范朋，最近美大學參予多項計劃。」

范朋不予置評。

「新視平號探測器上許多零件由各大學研發製成，一枚塵埃收集器由科羅拉多

大學負責，有時，研究生根本不知計劃全貌，因此，許多人研製殺人武器的零件而茫然不覺。」

范朋笑了，「真的不知，抑或因絕密而佯裝不知。」

子成不悅：「我會問他。」

范朋說：「閒談莫說人非，我們還是說些別的題目。」

「我累了，我不講了。」

「是我不懂討好女孩子。」

子成略為釋然，「你很好，改天再聊。」

原來周曙有許多事瞞着應子成。

他身份奇妙，看樣子他根本未曾離開加州理工，他要待幾時才會坦白？

子成甚覺不快，但是她隨即這樣想：為什麼要叫朋友盡情坦白？許多事，人家不愛說，要尊重人家意願，口無遮攔的人，講的未必是真心話。

子成抑制着心中不快，第二天見到周曙，忍不住問：「你不用返回大學工作？」

周曙一怔，「九月份也許歸隊。」

「那也快了，」子成感慨，「由來最快過的是暑假，稍後我也得回去繼續學業，已在物色住所，以免臨急抱佛腳。」

「我認識你校若干教授，你可借住他們家，有個照顧。」

「我寧願放棄舒適，追求自由。」

周曙說：「是的，你是那樣嬌縱。」

子成數他臉上雀斑：「三十一，三十二，三十三……」

「喂，雀斑與痣會越數越多。」

「是這些雀斑吧，使你看上去比真人稚氣天真。」

周曙又一愕，「我自問本性並非奸詐。」

子成側頭看他。

「子成，你有話要說？」周曙終於有些頭緒。

子成想一想，「沒有，沒有話。」

可是，再也找不到昨日的熱情。

周曙笑：「今日你鬧情緒，我明日再來。」

蘇銀卻回來了，她興奮之極，「子成，這是賺錢好機會，我將申請停學一年，把握時機。」

「蘇，你的世界歷史呢？」

「我當年怎會選這樣科目？愚魯的我今日才明白當初同學為什麼爭破頭考九十二分以上搶進商科。」

「我都不認得你了。」

蘇銀說：「我覺得自己長進得多。」

「蘇，你認識周曙多少？」

蘇銀看牢老同學，「你們可是論到婚嫁？」

「不，不是這個意思。」

「一個人窮一生之力也很難了解另一人，婚後更應體貼對方，留予空間，你說是不是。」

「蘇，你很大方，我覺得與周曙越來越陌生。」

「所有夫妻開頭都是陌生人，現今已不流行近親結婚，在美加，表兄妹不可結婚，又許多人結婚三十年後還慨歎對方如陌路人，你要求不宜過高。」

「蘇，幾時變得洞悉世情？」

蘇銀答：「從商之後，發覺世上根本沒有原則或是底線，利之所在，什麼都可以商量遷就。」

「所以華人不喜商賈，士農工商，排在最後。」

「我這次忙與律師聯絡，子成，歡迎你來參觀我們新店，由應伯母命名：叫緣之所至。」

「嘩，我汗毛站班，多麼五十年代。」

「很別致吧，」沒想到蘇銀得意洋洋，「人人讚好。」

「我倆距離越來越遠。」

「子成，也許，是你一個人不願長大緣故？」

她換了衣服出去。

子成問范朋：「是我不願長大？」

「我可以回答你，不過，透露這個秘密之後，我需殺你滅口。」

「嗚，看情形的確是我幼稚。」

「子成，周教授在大學研究高溫物理，專修原子融合。」

子成說：「原子融合產生的核能沒有幅射，是最佳能源，可是需要攝氏一百萬度高溫，宛如太陽中心，迄今不可能產生。」

「科學家正在努力。」

「可是有眉目了？」

「周博士在大學第二年就特允成為公民，因其研究機密，非公民不能參予之故，他離境必須申請，行動受密切監測，他不是普通人。」

子成發怔，「明白。」

「子成，若果喜歡一個人，不必計較細節。」

子成笑，「倘若我是東京玫瑰呢？」

「你不如做瑪泰哈利。」

「你也是特殊人物，電訊部傳發接收，亦全屬機密。」

「是，每一秒都記錄。」

「大哥無處不在。」

「女孩子心思複雜，我未能了解，對不起。」

「我很高興你並非這方面高手。」

「周博士身份特殊，但看得出對你情真。」

子成哈哈大笑。

她在互聯網上找租約。

應鉅容知道，同她說：「我買一座公寓給你當嫁妝好了。」

子成回答：「好女不論嫁妝衣。」

「留你不住，女兒。」

「爸，你一定希望蘇銀才是你女兒吧。」

「子成你有你優點。」

父親口風突改，子成大為詫異。

應鉅容是個小型獨裁者：順我者昌，逆我者亡，想不到今日忽然尊重他人意

願。

子成擔心問：「你與媽媽好嗎？」

應鉅容答：「這次回來，連我都對她刮目相看，她努力做運動，節食，一下子減掉二十五磅，換了新髮型，恢復都市女性打扮，學做生意，又找到小蘇這個好幫手，成績斐然，滬人欽佩得很呢，現在她神氣了：出入有司機保鏢秘書助手，獨當一面，我甘拜下風。」

子成駭笑，「我不信。」

「她僱着廚子管家，出名好客，高朋滿座，不愁寂寞，傳媒忙着免費為她宣傳，你不去看看？」

子成答：「我最怕熱鬧。」

「子成，你像誰呢，既不似爸爸，又不像媽媽。」

「我是不肖女，我揀回來。」

「我原先要你從商，沒想到被你母親着了先機，你大可回去讀書。」

「爸，畢業後我先工作兩年，然後順你意讀商科。」

應鉅容暢快地大笑。

子成問：「媽媽是不回去了？」

「她正朝名利出發，怎會回頭，一日她同我說：她簡直不相信為着照顧女兒，竟然在外國拼手胝足度過十年，不可思議。」

子成了解母親，這一半是氣話。

「她明後天回來，你自己同她說好了，我將去日本，公寓一事，我會找熟人替你辦妥。」

下午，立刻有房屋仲介約她會晤，隔洋介紹幾間公寓給她：「兩房最適合你應小姐，但公寓價格已經上漲，又不甚保值，你可願選擇重新裝修的老房子？」

他帶來許多選擇，都是近大學的熱門地區。

他搭訕說：「據說，是應小姐的嫁妝？不如選百萬以上，將來進可攻，退可守。」

子成躊躇，父親白手興家不易，她怎可食水太深，然而，問父親名正言順要錢，一生大抵也只得一次。

子成脫口問：「你說呢？」

不料經紀十分果斷：「這一間全新，開價一百六十八，五房六套浴室，即使五個孩子也夠用。」

子成笑，「我連付地稅的收入也無。」

「我可安排你直接在應先生的戶口轉賬。」

子成駭笑，「這不大好吧。」

沒想到經紀像個哲學家，他這樣說：「應小姐你這財富與生俱來，屬你應得，不必尷尬，你難道會把大學教育費還給令尊？又查理斯王子該把王位還給英女王？」

他好似說得很有道理。

「我幫你出價，同時說服令尊及屋主，你等着做業主好了，不過，應小姐，我需提醒你，小心選擇男朋友，因為婚後三年法律准他平分你財產。」

這人真是有趣，什麼都說得出口。

子成想了想，點點頭。

經紀歡天喜地告辭。

從那間屋子騎腳踏車到大學，只需十分鐘。

啊，三個女子前來，只一個人回去。

傍晚父親派人送一本雜誌給子成，子成打開內頁，看到彩色圖文，十分意外，該名接受專訪的女子是誰？好不面熟，「企業家馬翠穩」……

子成「哎喲」一聲，這是她母親的原名，這個穿着深紫夾銀色織綿緞改良旗袍的美人是她老媽！

不可思議，照片經電腦處理，母親面孔平滑無紋，雙眼炯炯有神，胳臂是胳臂，腰是腰，宛如脫胎換骨，再世為人。

子成刺激過度，忽然大笑起來，笑得不能停口，彎下腰，捧着胃。

興之所至，她把母親近照傳真給范朋：「這下子，」她說：「我倒像家母的老姐。」

范朋稱讚：「照片拍得極像，她含蓄的氣質不是年輕女子能及。」

兩人閒聊一會，子成熄燈休息。

第二天一早，她收到講師給她的分數：甲級八十七分，「可以更詳細記述親人感受及最近中東之爭。」

子成為之氣結，她已竭其所能，但是要符合導師苛刻要求似無可能，她立刻向蘇銀訴苦。

蘇銀勸慰：「甲級已屬不易，對，子成你看到應太太的訪問沒有，可是十分精采？」

「你倆樂不思蜀。」

「我正招募同學來滬，應太太說：一定有人跟風，不如我們先設多間分店，肥水不落別人田。」

「當心陷阱。」

「我們的本錢是人流，只有進供，沒有支出。」

子成氣結：「那豈不是天下第一營生。」

「那又不是……」蘇銀說了一大堆從商之道。

子成一字聽不進去，一味唯唯喏喏。

稍後周曙來訪，她把雜誌交到他手中。

周曙讚美：「伯母氣色好極了。」

他們平排坐在沙發上讀那篇訪問：「馬小姐說，『從一個都會走到另一個都會，絲毫不覺脫節，回來家鄉，只有親切感覺，完全沒有隔膜』，這真是她所說？口氣似蘇銀，小蘇一定是她的公關主任。」

大家笑一會，周曙說：「我找人把訪問鑲起掛書房。」

他的手臂搭在沙發背上，漸漸移下擱在子成肩上。

子成微笑，「你有話說？」

周曙另一隻手自口袋伸出，手中握着一隻小小盒子。

子成嗯地一聲，「這是什麼勳章？」

「你的報告已經完成，分數亦批下，這與任何戰爭無關。」

他打開盒子，裏邊是一枚藍寶石指環，鑲法古舊，分明是件古董。

「家祖母的訂婚指環，子成，你願意收下嗎？」

子成張大嘴，又合攏。

「子成，我向你求婚，之前，我已向應先生及伯母請示，他們都沒有反對。」

怪不得父親忽然贈她妝奩。

「子成，你願意與我組織家庭嗎？」

子成吃驚，這周曙同她父親一般專制，只顧自身需要。

她坦白說：「周曙，我對你一無所知。」

「子成，我倆志同道合。」

「不，」子成說：「我倆旨趣南轅北轍，你從事軍事機密，我是反戰人士，兩人走不到一起。」

周曙愕然，「子成你何出此言？」

「你為國防部工作可是，此事極密，你從未透露半句，你最親密的人也只知你在大學做研究，每天上下班，表面平靜正常，不過，你可能研發殺人武器，但對一些科學家來說，只要實驗室設備完善，滿足他們的求知慾，其餘一切，均不重要，頭大可以埋在沙堆裏。」

周曙吃驚，「子成你不可胡亂猜測。」

「兩人相處，由來不易，何況還夾雜着這許多機密，周曙，壓力如此巨大，何以為繼？請你三思。」

周曙大力吸氣，面孔漲紅。

「讓我們繼續做朋友吧，周曙，你轉工之前不適宜結婚，否則不能保證夢囈向伴侶透露了什麼。」

周曙氣餒，「你不愛我。」

子成歎氣，「珍愛泰山，多麼簡單，不如回到原始森林，只求溫飽與愛情。」

「子成，華人的習俗是相信智者千慮，不如外國人活一日是一日，救得一人是一人。」

子成覺得悲涼，他們始終想不到一起，這還不要緊，致命是雙方都不願遷就。

子成記得極幼小時，不大會講話，心急時胡亂發音，別人一句聽不懂，母親也不明白，可是慈母總是耐心抱她在懷中，呵護說：「是嗎，是嗎，呵這樣呀，我知道，我曉得……」漸漸小小子成的氣平了，吃着拇指，終於安靜。

這便是遷就，周曙卻只想改變她。

她伸手去剔周曙手臂上的雀斑，不知怎地，他這次沒有喊痛，也不呼叫，終於，子成掐破他的皮膚，鮮血緩緩冒出，凝固成一顆小小紅色珠子。

周曙伸手抹去血液，想一想，「我走了，你知道在什麼地方找得到我。」

在門口他遇見蘇銀，一聲不響，低頭離去。

蘇銀關上門，脱掉鞋子，「什麼事，他左臂襯衫袖子血漬斑斑，你傷害他，你又趕走一名？」

子成不出聲。

「這年頭找對象不容易，你就遷就一點吧。」

子成沒想到蘇銀也用上這兩個字，她笑起來。

蘇銀坐下，「我有一個姑姑，年輕時與一個英俊的銀行經理訂婚，一日，她看到他與城內著名交際花在一起，那美艷女子不住哭泣，他在一邊安慰，狀甚親密，旁人一看就知道是什麼一回事，她年少氣盛，不顧一切解除婚約。」

子成輕輕説：「讓我想，她後悔了，終身不嫁。」

「不，她後來嫁得很好，但是再也得不到熱戀感覺。」

「這是恐嚇我？」

「一個人太挑剔是行不通的，周曙已知會伯母，她正在等好消息。」

子成忽然改變話題，「蘇銀我記得你同我說：你想做一篇世界為何貧富懸殊的報告。」

蘇銀知子成不想再說私事，她慢條斯理答：「講師覺得該條題目由人文學學生寫比較適合。」

「可以讓給我嗎？」

「我原先角度是要狠批歐洲在非洲大陸殖民策略，繼而分析非洲今日與將來。」

「嘩。」

「講師說，報告要有『嘩因素』，叫讀者嘩一聲，那才能獲取高分。」

「你有無提及比利時移民大戰非洲殊魯族？」

蘇銀答：「你指十九世紀早期用剛發明的機關鎗屠殺殊魯族吧，把他們消滅，奪取土地，從南非步步向北方進逼，可是，歐洲人最後被虐疾擊退。」

「蘇銀，讓我倆合作寫此報告。」

「我與你不同系，如何申請合作，還有，我已停學從商，決定暫時放下功課，第三，這個題目太過殘酷血腥，你沒想到吧，那樣可愛典雅的歐洲小國，真實面目卻如此猙獰。」

子成點點頭。

「從此我對歐洲倒足胃口，他們幾乎把非洲所有礦產刮走，把土人擄走當鐵路黑工，然後允許他們獨立，資源已失，如何再站起來？認識歷史十分重要，增加視野層次。」

子成想一想，「那是比利時剛果的血淚史。」

「此刻叫剛果共和國，是世界上最貧窮的國家。」

「這是個好題目。」

蘇銀聳聳肩，「整個月日夜不分做一篇功課，結果拿十分八分，多不劃算，簡直浪費青春，還是學做生意好。」

子成說：「祝你成功。」

蘇銀說：「有一件事你值得慶幸：今日的應伯母，快樂得多，笑口常開，再也不失眠憂鬱，你不如寫一篇現代女性的事業與快樂之間聯繫。」

子成咧開嘴，「聽到都開心。」

「我明天一大早回去會她，我們忙得不可開交。」

「恭喜你倆鴻運當頭，馬到功成。」

晚上，子成與范朋談到周曙。

他倒抽一口冷氣，「你又逐走男友，當心賣少見少。」

「你的口氣太像蘇銀。」

「年輕草率又殘忍的女子。」

「謝謝你。」子成當是讚美。

「他做錯什麼？」

「范朋，你對非洲認識多少？」

「我曾駐津巴布韋，我軍協助當地民主選舉期間安全。」

「范朋，非洲可是美麗大陸？」

「你不會想去。」

「告訴我關於非洲。」

「你興趣太多面，卻不夠集中，非洲那樣大，尼羅河與撒哈拉沙漠都在非洲。」

子成笑了。

「范朋，我來看你可好？」

「……」范朋沒有回答。

「我們選君士坦丁堡作中途站，一人走一段路。」

「……」范朋似掉入冰窖。

「反應冷淡，何故？」

「我沒有假期，但是我合約十月屆滿，到時再說。」

「你好不神秘。」

「那樣做也不過是為着吸引你注意。」

子成取笑，「是嗎，你有那樣的意思嗎？」

「聽說你母重修舊好，值得高興。」

子成感喟，「意想不到可是，滿以為爸不會再回來，可是偏偏他又回頭。」

「有時他們累了會回家。」

「范朋，假使我忽然出現呢？」

他大笑，「我不是在紐約或巴黎，我在坎達哈。」

「那又有多遠，假如我來得到又如何？」

子成萬萬料不到一向恃重的范朋竟這樣答：「我娶你。」

子成一愕，隨即哈哈大笑，「我六十年後找到你，你也不嫌棄？」

兩人在電腦熒幕上打出許多笑臉。

呵，范朋，她心想，你可別小覷應子成。

世界有多大，一個人若說找不到另一人，那只是因為他不想找他。

子成決定着手阿富汗之旅。

她首先讀熟地圖：阿國四面環山，東邊是巴基斯坦，西邊是伊朗，她是歐亞兩洲中樞地帶，故此歷年受許多國家入侵！波斯、希臘、阿拉伯、蒙古及西方諸國都

覬覦這條通道，人民篤信伊斯蘭教，一千六百萬人口中四分三是文盲。

子成吞一口涎沫。

怪不得范朋說如她去得到會娶她。

坎達哈在首都卡布以南，子成查過旅行社，「不，我們沒有飛機去該處，小姐，有誰要去那裏？」

子成再深入調查：她可以乘小型包機，不過有一定危險，也可以乘搭吉甫車，路程可能要二至三天，途中不知會發生什麼事，一九七九年阿國與前蘇聯激戰，傷痕纍纍，至今元氣尚未恢復，十分窘逼。

子成抬起頭，算了，她又不打算與范朋結婚。

但是年輕草率任性的她，心底卻冒起一朵小小火燄。

往日，她跟隨父母全世界探訪親友，都只限於文明世界都會，去到哪裏，都可以鑽進相熟連鎖快餐及咖啡店，絲毫沒有新奇感覺。

好笑吧，凡事都要自願，她沒考慮跟隨加路到島嶼去撰寫遊記，也拒絕周曙邀請，可是，子成卻計劃前往探訪范朋。

子成就是有那麼一點點不羈，當初，她與曾大品在一起也因為這樣。

旅行社有一個熱心年輕職員這樣提意見：「你可以乘飛機到巴基斯坦北部的伊斯蘭堡，再轉程往卡布，你既然是探朋友，他可以替你安排相繼路程。」

子成說：「我想給他一個意外。」

「啊，啊，你太偉大，這種意外完全沒必要。」

子成追問：「你可去過當地？」

「我一年前到過卡布，市面還算平靜，年輕人情緒激亢。」

「誰協助你？」

「路透社的朋友。」

一言提醒子成，她怎麼沒想到，通訊社朋友：加路是最佳人選。

子成撥電話到加路的出版社，接通了，一名秘書來聽電話，子成才喂一聲，對方已經笑說：「我是陳令，安琪你早，飛機票已派人送到府上，十六小時之後你可見到加路君。」

子成一怔，半晌作不了聲。

那位小姐繼續說下去：「我已知會加路到當地飛機場接你，安琪，你會喜歡風景優美的琉球群島。」

子成明白了，她定定神，笑笑說：「陳小姐，我不是安琪，我是加路先前女友應子成。」

子成只聽到對方慘叫一聲。

子成笑說：「你犯大錯，這次你死定。」

「對不起，應小姐，我，唉，是我糊塗。」

「陳小姐，或者，你可以將功贖罪。」

「我可以為你做什麼？」

「陳小姐，貴出版社可認識駐卡布的通訊員？」

「我替你查查，」她在電腦上看一回，「美聯社的金以恆，她是我們作者之一，此刻正在卡布。」

子成開心得跳起來，「請把她通訊號碼給我。」

「應小姐，她沒有批准——」

子成輕輕說：「安琪是什麼人，她與加路在什麼時候開始，我失戀傷心之餘，說不定會做出一些悲劇動作，喂，你到底願不願幫忙？」

「應小姐，你稍安毋躁，這一切都因我魯莽而起，我一定負責，金的私人號碼是——」

「謝謝你。」

「應小姐，至於安琪——」

「誰是安琪，我不關心，謝謝你。」子成掛上電話。

她的確毫不關心，並且替加路高興，他不愁沒有女伴，他與子成都已重新開始。

經過那麼多事，但一個暑假還沒有完結，子成不禁有點欷歔。

年輕人喜歡速度，無論什麼事刷刷刷飛身而過，因為前邊也許還有更好的有待爭取。

子成坐下寫了一封電郵，她的語文能力一向優秀，主任講師讚她有本事以簡單字句把感情充份傳達，子成在電郵裏說出她想探訪朋友給他意外的願望，希望金可

以幫她協理交通問題。

把電郵發出，子成回到自己世界。

說也好笑，屋子裏只剩她與父親兩個人。

應鉅容說：「周曙告訴我，你拒絕了他，我倆好不失望。」

子成簡單地答：「是。」

「他回美國去了。」

子成點頭表示知情。

「你心中另外有人？」

「我與周性格不合。」

應鉅容說：「我與你母親性格也不合。」

子成坦白說：「所以你看，你倆並非榜樣：結婚廿五年，有一半時間分居。」

「孩子大了，會得挑剔父母。」

子成微笑。

「還是幼小時最可愛，見到爸爸，抱住大腿不放，被爸爸一把抱起，摟緊緊，

歡笑。」

子成也想到這些甜蜜記憶。

「我一直想要多幾個孩子，但是子成，有你也已心足。」

子成過去按住父親雙手。

「是呀，我曾經有女朋友，可是，現在我回家了。」

子成陪父親喝下午茶。

他說：「你挑的洋房不錯，過幾天去簽字，就那麼多了，」他開女兒玩笑，「省着點花。」

子成緊緊挽着父親手臂。

「他們都說你像媽媽。」

「媽媽生的當然像媽媽，我也像爸爸，不過，我是我自己，我會妥善生活，報答父母。」

應鉅容滿意的笑。

「畢業後記得回家。」

「明白。」

子成與父親修復感情，她沒有問他：是否曾經一度，他想過拋棄她另組家庭，那十多年已經熬過去，他給她的補償，她也欣然接受，子成學會妥協。

這個暑期過得十分熱鬧，探望范朋將是高潮，然後，她會回到校園，也許努力寫「世界為何貧富懸殊」或是「聯合國失敗抑或成功」這些題目。

金以恆的回覆兩天後才到：「應子成，我到新德里去了一趟，今日返回，才讀到電訊，猜想你是一個體貼的人，才沒用我的電話，你的意願十分感人，我很樂意出一分力，你文內提及的范朋君，我們都認識，他是個大好人，學識淵博，性格光明，你很有眼光。」

子成沒想到金以恆認識范朋。

「你幾時抵達卡布，可事先通知我，我會親自來接，安排你前往坎達哈，給范朋一個驚喜，我會舉着你的姓名牌迎接你，金以恆啟。」

子成放心了。

她找到熟人。

子成安排好時間，她訂妥飛機票，同父母說：她將往希臘雅典旅遊。

母親吩咐：「把環宇通電話帶在身邊，方便我隨時與你通話。」

那邊已經叫她：「老闆，有人找你。」

母親說：「小心扒手猖獗。」

「我三兩天就回來。」

應太太已經掛上電話。

子成心裏盤算：要給范朋一個好印象，不需要太打扮，照平日衣着便可，但非得精神奕奕，神情愉快。

她給他帶一盒親手做的巧克力餅乾以及兩件克絲咪毛衣。

子成扛上背囊，發覺它比以前重得多，在家享足整個暑假的福，體力不如從前。

千萬不能嬌縱，否則會漸露老態。

她問范朋：「你從來沒提過親人。」

「我孑然一人。」

「遠房親戚呢？」

「我不在乎，我有許多好友，我不寂寞，你也是其中之一。」

「范朋，我在想，約滿之後，你返國工作，或許，我們可以約會。」

他吃驚，「約會？進一步發展？」

「你說如何？」子成故意催逼。

「我的小息時間已屆，我需開會，子成，我第一時間再與你聯絡。」

子成忽然哈哈大笑，下次恐怕可以面對面談話。

子成揹上背囊，登上飛機，她已有準備，穿着寬大中性衣褲，不施脂粉，並且用披肩蒙頭，入鄉隨俗是一種尊重，如不，倒還是留在家裏的好。

子成曾經去過更遠的國度像瑞典與智利，可是心情卻沒有這次緊張，因為她單獨行動，且又瞞着父母，還有，她第一次見范朋。

她閉着雙眼休息，心中忐忑，直到睜眼，看到艙窗外的藍天白雲，忽覺舒坦；世界就這麼一點大，那裏不一樣，子成微笑。

下飛機子成順利過境，一出海關就看見有人舉着「應子成」三字牌子，她迎上

去。

「我是金，你好，子成，歡迎你。」

子成看到金同文同種且與她年齡相仿，已經高興，何況金以恆十分熱誠，隨手替子成整理圍巾，遮住她額頭，然後在兩邊垂下，金本人也包着額頭。

高大碩健的金笑着帶子成上吉甫車，一邊說：「這便是讀新聞系的下場。」

子成問：「請問當記者多久了？」

「三年整，一直耽在中東，剛想走，再不回家父母將登報與我脫離關係，可是高山區又發生大地震，於是留下採訪。」

子成問：「請問接載我往目的地車子在何處？」

金回答：「就是我。」

子成意外，「你抽得出時間？」

金答：「老范的朋友，即我的朋友。」

子成得知范朋人緣那樣好，倒也高興。

金以恆打量子成，「我很替范朋高興，你們認識多久？」

「大半年。」

「千里遙遙到軍營探訪，感情一定很有基礎。」

子成點頭，「急不及待的想見到他。」

金問：「可要到我公寓沐浴更衣？」

子成也不客氣，「假如方便的話，請即帶我往目的地。」

金說：「沒有問題，我的行李就在車尾廂。」

她把車駛往小型飛機場，一下子找到熟人，低聲攀談起來，忽然見她在腰包掏出一疊美金，逐張數給那人，那高瘦黑膚男子聚精會神看她數清綠背。

直到此時，子成才認同美金偉大，要緊關頭，誰會用歐羅，英鎊或是魯布。

金示意子成出示護照，子成連忙自內袋取出，男子伸出手笑：「我是你的飛機師赫辛，原來是加國朋友。」

子成點點頭，友善微笑，不發一言。

她們兩人經過檢查踏上小型飛機，九座位飛機上另外有五名婦孺，各人並無招呼，低頭不語，不理閒事。

金輕輕說：「近三小時航程便可抵達。」

子成忽然問：「你為出版社寫什麼書？」

「一本關於坦克的報告。」

子成大惑不解，「坦克，坦克車，抑或穿的坦克背心？」

金微笑，「戰鬥用坦克車。」

「失敬失敬，一個女子怎會寫到這種題材？」

「因為我有一個朋友是坦克搜集者，他擁有兩百二十多輛坦克，引起我興趣。」

聽到這裏，子成真覺天外有天，山外有山，「那些坦克車都停在何處？」

金十分幽默，「他家後園，他住蘇格蘭，莊園近五百餘畝農地，足夠他玩耍。」

子成吸一口氣，「這是什麼人？」

「你猜猜。」

子成轉了轉腦筋：如此富有，如此怪癖，如此精力，她知道了：「搖滾樂明

星。」

「完全正確。」

子成問：「坦克車這種殺人武器有何趣味，怎樣寫一本書？」

「啊，子成，坦克是頂尖機械結晶。」

子成汗顏。

「你可知保時捷及平治車廠均在二次大戰時期參予製造坦克？所以你永遠不會看到猶太人用這兩個牌子。」

「恕我愚昧無知。」

「我寫了十輛歷史上最精美坦克車。」

子成說：「請告訴我第一名及第十名的名字。」

「第十名，是德軍的黑豹，二次大戰，在寇斯克一役中建立奇功，德軍把所有坦克以猛獸命名：象、虎、黑豹，以及最新一代電腦控制的豹，重六十二公噸，小、輕、靈，是排名第一的坦克車。」

子成愕然，「德軍至今製造坦克？」

「戰敗後有一段時間德國不允製造軍器，今日又大施拳腳，所向無敵。」

「危險！」

「豹的最大買主是瑞典，一共擁有二百六十多輛。」

子成壓低聲音：「我以為瑞典是中立國。」

金微笑，「威京後代，凶猛異常，中立國也需防範邊境。」

瑞典與誰接壤？子成一想：「瑞典接芬蘭，芬蘭接俄國。」

金笑：「與你說話真有趣。」

子成不出聲，是因為她笨吧。

金說：「一個世紀以來歐洲國家版圖發生多少變化，你可以看到暗湧。」

子成說：「你高瞻遠矚。」

「子成，理智上接受一件事，與親身經歷，感受完全不同。」

子成嘴嚼她這兩句話的意思，一時不能明白。

她問：「下一本報告可是寫戰鬥機？」

未料金卻點頭，「我已在聯絡各路大戰空軍，請他們現身說法，架駛報告中那

十輛戰鬥機刺激經驗。」

子成只覺興奮，「第一名是什麼？」

「我先同你説第十名。」

「是你自選？」

金笑，「當然不是，由多名軍事專家合選。」

「太有趣了。」

「第十名是美國空軍的F117夜鷹號，俗稱隱形飛機。」

子成大為震驚，「這架隱形飛機只得第十？第一是什麼？」

「美軍機中F代表戰鬥機，B代表轟炸機，夜鷹號並非戰鬥機，但是為着威風，所以歸F類，使空軍心裏舒服，除出躲避雷達之外，它並無特別功能，所以只排名第十。」

子成深呼吸，「嘩。」

這時，從飛機看下去，只見崇山峻嶺，只有偶然小小村落。

「第九名，是德國的DRI，你或許沒聽過這架飛機，但你其實熟悉，花生漫畫

中史諾比與紅男爵空中大戰，男爵的三層翼配機鎗飛機便是DRI。」

這時，連鄰座小男孩都忍不住「啊」地一聲。

子成說：「我孤陋寡聞，今日茅塞頓開。」

那黑膚小男孩忽然問：「什麼叫MIG？」

他母親阻止他發言，不過金已經輕輕回答：「蘇聯來格飛機，由米高揚設計，故簡稱米格。」

八九歲的小男孩又問：「什麼叫Mach？」

「飛機時速！一個Mach等於一千公里。」

小男孩笑，「你好，我叫阿都。」

他們握手。

阿都問：「日本自殺飛機神風是何種類？」

他母親低聲喝止：「阿都，住嘴。」

金卻笑笑答：「那是三菱在一九四一年製造的AGM戰鬥機，輕巧、省油，可爬山至一千四百呎高空，它的設計特殊，飛機艙薄弱，只得一層鋁片，子彈輕易打

穿，與盟軍要求三吋銅板不同。」

「呵，沒想過要回來。」

年輕母親按住阿都嘴巴，大家都笑。

子成自我介紹：「我來自香港。」

阿都的媽像鬆一口氣，香港是一個賺錢的地方，和氣生財，聲譽良好。

這時，輪到子成發問：「你還沒說首名是什麼飛機。」

「它是英美合作製成的野馬P51，可作長途飛行，深入敵營戰鬥，當年德軍首領戈林一見野馬領着轟炸機進入領空，便知道納粹末日已經開始。」

阿都激動的說：「我長大後一定要參予戰爭。」

金微笑，「阿都你幾歲？」

「八歲半。」

金說：「若果你生在海軍元帥納爾遜打察花加一仗時代，八歲也可以隨艦隊出發作戰。」

連阿都媽都詫異，「什麼？」

「你也是，」子成答：「洗衣煮飯，抹地打水，搬運軍火。」

那回教女子張大雙眼，「我竟不知有這樣的事。」

金說：「不幸都是事實，你可用古哥搜索引擎去找婦孺參予戰爭檔案，當時男子人口不足，只得用到婦孺，七八歲兒童來往奔走艙底炸藥庫及甲板大炮之間，又負責上彈藥，據史實記載，那場仗四名船員中有一人死傷，可知慘重。」

阿都用手掩臉。

金故意問：「你怎麼了？」

阿都臉色慘白，「可怕。」

金說：「是呀，炮聲轟轟，船身震動，炸為齏粉，你聽過這句話嗎，一將功成萬骨枯。」

阿都若有所思，似有頓悟。

他的母親說：「多謝兩位。」

這時子成閉上雙眼，她累極入睡。

飛機艙終於靜下來。

子成做夢，聽見母親叫她，她睜開雙眼，金對她說：「到了。」

子成看到正在下飛機的阿都回頭朝她們揮手。

子成點點頭，取過背囊跟着金以恆走。

半晌，金駕駛一輛吉甫車過來接載子成，金矯若游龍，英姿颯颯，叫子成佩服。

金微笑，「那你應到以色列，該國坦克教練是廿餘歲的金髮美女。」

子成歎口氣，「自慚形穢。」

「你做好你的事已夠，范朋遇見你很幸運。」

子成問：「你花時間精力帶我到軍營，是為着范朋？」

金答：「范是每一個人的朋友，他最熱心助人，每逢節日，通宵幫我們傳影像語音回家報平安，有求必應，對了，他見到你一定很高興。」

他們已進入軍營範圍。

「不用停站檢查？」

「已經接受紅外線視察。」

終於，她們下車走進關卡，這時氣氛比較嚴肅，再次檢查及核對身份之後，進入辦公室。

金轉頭對子成說：「我已知會范朋你會前來，對不起，如果他不登記訪客姓名資料，你不能入內。」

子成點頭，「我明白。」

「他興奮感動得說不出話來，說是一生中最驚喜意外。」

她們走近接待員。

接待員把應子成名字鍵入電腦，她閱讀檔案，輕輕抬起頭說：「應小姐你這麼快就到，真是意外，我方十二小時前才通知你前來。」

兩個年輕女子一怔，「你通知我前來？」

接待員答：「正是。」

金以恆先忍不住，「為什麼？」

「因為據通訊員范朋登記，在緊急事故中，需知會應子成。」

子成踏前一步，「我來了，請通知范朋。」

子成沒留意到，站在一旁的金以恆已經變色。

果然，接待員輕輕站起，「應小姐，他們沒知會你？」

「知會什麼？」

「通訊員范朋與四名同僚，於十二日二十一時三十分乘坐一輛裝甲車在街上巡邏，為閃避迎面衝來汽車，車身翻側，不幸傷重身亡。」

子成站在當地動也不動，她聽見自己輕輕吐出「噗」的一聲。

金扶她坐下。

這時，有一名文員出來與金說了幾句，子成看到金不停點頭。

他走近子成說：「應小姐，你親身來到真好，我們致哀。」

子成垂頭無語。

「我們會照他遺囑，把骨灰交給你，由你帶回本國，除你之外，他並無親人。」

金一直握着子成的手。

子成有點疑惑，她張開嘴，又再合攏。

「應小姐，我明白你們尚未結婚，但是有什麼要求，請儘管提出。」

金輕輕說：「請儘快安排應子成直航回國。」

「一定，在此期間，我們準備了宿舍待應小姐休息。」

這時，子成忽然說：「我想得到一張范朋的近照。」

「是，我立刻安排。」

他迅速離去，這時，接待員走近，「我這裏有范朋的照片，上星期我生日，同事為我舉行啤酒慶祝會。」

他交一疊照片給子成。

子成低頭看到場面熱鬧的生活照，那群人當中，誰，誰是范朋？

招待員指一指，「你看，他笑得多暢快。」

手指尖放在一張輪椅上。

子成凝視照片，原來范朋是名傷殘人士，他必須倚靠輪椅，意外加意外，子成震動。

電光石火間，子成明白了，難怪各人對她如此熱誠，他們不知應子成與范朋從

未見面，他們只為范朋高興。

子成默默看着照片。

范朋相貌清癯，一如她想像，他不良於行，所以擔任通訊員職務，他不願與子成交換照片，是怕她失望，他小覷她了。

稍後，子成與金到軍營宿舍休息。

金把握機會小睡，直至黃昏才醒。

她轉身看子成，發覺她也憩睡，可是夢中一直流淚，眼淚打側流入耳殼，耳朵也載滿淚水。

金為她輕輕拭乾，歎口氣，不知說什麼才好。

她到飯堂，獨自喝起啤酒。

有人走近，「你是范的未婚妻？」

她搖頭解釋。

他們都歎息，「眼見范雀躍說不再寂寞，誰知……」

「他倆靠通訊建立友誼。」

「范朋是好青年，他會給她幸福。」

金挑了兩盒蔬菜沙律回宿舍，把熱咖啡遞給子成。

子成神色如常，沉默不語。

金說：「我與你雖是新相識，可是……」

子成與她緊緊相擁。

「軍人隨時會殉職，希望你明白。」

子成低聲說：「我到現在才明白你說的話，理智上了解一件事，與經身經歷，完全不同。」

「你處理得很好，表現得很有尊嚴。」

第二天一早，舉行了簡單儀式，他們把一隻盒子交到子成手上，子成沉默地把它抱在胸前。

然後，有人把一隻信封遞給子成簽收。

子成抬頭，「請問這是什麼？」

「這是范朋的遺物，指明由你接收。」

薄薄一片，有些重量，不像是信。

金在旁輕輕說：「像是一隻光碟。」

子成輕輕拆開，果然是一張光碟，這片小小磁碟上，不知可載多少訊息，子成全年功課，都記錄在一隻光碟上。

金說：「可能是一本日記，你可以用我的電腦閱讀。」

子成點頭。

金忍不住垂頭，「真對不起，你迎回的，只是這些。」

范朋把應子成當作知己。

她們回到宿舍，金取出手提電腦，「你請便。」

子成閱讀光碟，她的眼睛有點酸倦，揉了揉。

金替她調低光線，隨即離開宿舍。

這不錯是范朋的日記，像是網誌，似寫給朋友的信，一開頭注明：「這是一個奇異的地方，每天天氣固定乾燥無雲，日熱夜寒，數千年來，智慧的民眾跟隨環境生活，人窮而志不窮……」

他的文筆十分簡單，所以吸引，像加路一般，他用最短句子，最明淺字眼，表達意思，在大學文學系頂多得乙級評分，但讀者卻能夠充份接收，文字達到功用。

「我本來在國防部擔任文職，努力要求到戰場服務，上司不允，我抬出人權法案，幾乎控訴他歧視傷殘人士，他終於屈服，『范，我只想保護你』，『我們任務是保衛平民』，他祝我幸運。」

第一天抵達軍營的照片，他的確顯示他精神奕奕。

「有一名華裔二等兵同我說：『歡迎你，現在，這裏有超人、蝙蝠人，也有Chinaman』，我倆笑得前仰後合，全無血性。」

子成也笑起來。

接着，他記載生活瑣事，像軍營裏全無特別設施，他必須苦苦磨練，每隔一日，上級便含蓄地問他受夠沒有，可願回家，直至三個月後，發覺他在通訊室服務與常人無異，才接受他。

不多久，子成看到自己的名字。

「軍營裏共二百二十五人，其中一個叫曾大品，他這人很特別，是汽車機械奇

才，車子上每一枚螺絲他都熟悉，鑽進車底，他會不由自主地哼歌，這還不止，他皮夾、口袋，甚至床頭，都貼着漂亮女友照片。」

子成苦笑，她前些時候已經知道，這女孩並不是她。

「一日，我忽然收到電郵，一名女子想與曾大品通訊，女孩的短訊用字溫婉動人，其中寂寥之意，深深感動我，我把電郵交給大品，他一聲不響，我猜想他們之間有頗深誤會。」

接着，軍營有大事發生。

「今日，我軍被汽車炸彈襲擊，一名外交人員死亡，三名軍人重傷，死者是政治主任佩利，隨重建隊負責坎達哈一帶的聯絡及人道救援工作，三名受傷士兵是二等兵金利、下士林達及下士長富克，其中兩人情況危殆，已送往德國美軍事醫院。」

子成抬起頭來，這是先兆。

「自稱塔利班的發言人致電美聯社，說『這類攻擊陸續有來』。」

子成看到死傷士兵的近照，以及炸成廢鐵的軍車。

子成用手掩臉，她不由自主想起著名詩句：在弗蘭達田裏，罌粟隨風搖動，一排一排……

金捧着咖啡進來。

「休息一會，你看你頭臉都腫了，像整張面孔都在流淚。」

她形容得如此特別，子成受到感動。

金用手臂摟着子成，「日後再看，人已經不在，彼此知道心意便成。」

子成輕輕說：「我倆萍水相逢，你卻厚待我。」

「范朋的朋友即我的朋友，我們甚有淵緣，范朋說起你，雙頰發亮。」

子成說：「我應該早些來。」

「到現在你該知道，這地方不歡迎外國人。」

子成問：「我們不能撤退嗎？」

「這個問題聯合國已經討論了半個世紀。」

「這樣打下去要到幾時呢？」

「這個問題人民恐怕已問了數千年。」

「殉職年輕軍人的面孔……」

金把咖啡遞給子成，「越看越驚怖，永遠不會習慣。」

「你看這一張，是下士林達的妻子拿着他健康時的照片。」

「林達後來有無活下來？」

「他失去一條左腿，現已配上義肢，我去醫院探訪過他，你看到他們的勇氣會得感動，傷兵有一個組織，互助互勵，在那裏，沒有人有健全四肢，但是他們與家人，展示世上至大生機，百折不撓。」

「他們的家人更加勇敢。」

「是，下士林達有三名六歲至十歲的兒子，他餘生大抵不可能陪他們打冰曲棍球了，連他父母、妻兒、兄弟，一家共十餘人都為此傷心，戰爭的代價。」

子成不出聲。

「我陪你到市集走走，去看他們叫巴薩的街市。」

子成搖頭。

「啊，子成，比起戰爭大災難，卑微私人感情算是什麼，你能否暫時放下？」

金確是一個特殊女子，她可以把眼光與感情提升到另一個境界，這是戰地記者憑寶貴經驗換取的智慧。

那天頗有風沙，她倆把圍巾包緊面孔，乘車到市集，金熟悉蹲下選購瓜果蔬菜，子成靜靜觀察民風。

市集攤子掛着銅壺銅盆，地毯服飾，宗教圖像，孩子們蹲在地上吃大餅玩遊戲，子成想：這可是華人口中的西域？

他們的世界並不貧乏，西方大國老以為別人的文明落後，那也太自我中心了。

金問：「你坐過牛車沒有，來，我們走一趟。」

子成知道金一心一意想把她的憂愁驅走，她很感激。

「哎呀，來看。」

只見一爿小店出售匕首，一把把彎月型鋒利小刀陳列店外，刀柄上鑲着閃爍寶石。

金愛不釋手，「可惜武器不准攜上飛機。」

「你可托軍中朋友替你帶。」

一言提醒金，她十分高興，正在選購，年輕店主出來，打量她們，金問價錢。

店主取出一把精品，交到金手中，金問：「就是它，多少？」

店主看着子成，金微笑，「拿她換？成交。」

店主笑起來，原來他會流利英語，「不，不是她，她太憂傷了，我女友比她漂亮。」

呵，連西域人都一眼看出應子成是傷心人。

「喲，那拿什麼交易？」

「她腕上的手錶。」

金意外，「什麼？」

「我女友一直想要一隻這樣的金錶，願意交換嗎？」

子成不假思索便脫下手錶交給這精明的西域生意人。

店主驗清手錶，十分滿意，「八成新，很好。」

金說：「子成這怎麼可以。」

子成說：「噓。」

她拉起金便走。

「手錶什麼牌子，如何還給你？」

「很普通的中價貨，請不要再提。」

她們上了牛車，兜到附近廟宇，宏偉建築一半已是頹垣敗瓦。

金把刀藏在懷裏，同子成解說：「看到沒有，數千年歷史古蹟被敵友不分的軍人用肩膊發射飛彈打成這樣。」

子成愕然，科學先進，有手提電腦，就有手提飛彈。

她們在瓦礫中欷歔一會，回轉軍營。

金立即動手做一鍋雜菜湯，「吃不慣他們大魚大肉，來吧，我們吃素。」

本來食不下咽的子成略吃一點，情緒稍有進展。

金抽出寶刀細看，「子成，這不似民間之物。」

子成感慨，「有什麼稀奇，巴格達失守，博物館藏品全部失蹤，連一千年的漢莫拉比律法石碑都不知落到何處。」

「你看這些寶石，是真是假？」

「金，只要討得你歡喜，你管它是假是真。」

金笑，「你講得很好，我們成年人的智慧是除出鈔票，餘者如讚美或古董等不分真假照單全收。」

兩個年輕女子如多年老友般談得十分投契。

「金，你工作甚忙，幾時回卡布？」

「你別替我着急，我自有計算。」

「多回家看看。」

「明白，彼此彼此。」

有人敲門進來，同子成說：「應小姐，很抱歉明日沒有軍用飛機回國，你還得多留一天。」

子成說：「我可以往卡布乘民航飛機往巴基斯坦伊斯蘭堡。」

那位軍人說：「應小姐，太危險了，我們不鼓勵你那樣做。」

子成只得點點頭。

軍人離去。

金輕輕說：「他的意思是，已經失去范朋，不能夠再失去你。」

「你不是時時也來回這條路線嗎？」

金微笑，「他們不欠我什麼。」

子成垂頭不語。

「你捱得住嗎？」

「我可以支撐。」

傍晚，她們在休憩室看電視新聞，金忽然凝神，卡塔爾半島電視台正發佈一項突發事故。

「美國箴言報，駐伊位克女記者珍史密夫十日前在莫索失蹤，今日，武裝分子要求美方在七十二小時內釋放所有伊拉克女戰犯，否則史密夫將被處死。」

子成「啊」地一聲。

金臉上變色，「這是珍史密夫！」

她倆本是同行，理應認識，只見熒幕上打出史密夫的照片，她像一個鄰舍女孩，但此刻木無表情，雙目無神，嘴唇緊閉。

子成震撼。

金以恆輕輕説：「周所眾知，英美兩國並不與恐怖分子洽商任何事情。」

「這麼説來這名記者絕對危險。」

「是，史密夫可能殉職。」

子成歎氣，「拿記者開刀已是第幾宗了，只有姬仙阿瑪普還在戰地穿梭。」

金答：「還有我。」

「金，你該回家了，我們都回家吧。」

金低頭，「珍在伊利諾大學畢業，一腔熱血，你要是對她國家稍有不敬，那真要吃不了兜着走，她將自蓬車西征開始講述他們偉大歷史，不，自愛爾蘭馬鈴薯失收，地主不顧飢民淨掛住做糧食生意，逼使他們遷徙新大陸那時起講，所有英雄事跡，這回糟了，她竟落在叛軍手中。」

子成沉默。

她記得與母親同住的時候，看到這類綁架新聞，心中雖然惻然，但閉上電視，還不是照樣吃飯做功課。

但今日身處現場，感覺大有不同，子成只覺頸後寒毛豎起。

金說：「七十二小時限期，即三個工作日。」

子成低聲說：「她的父母兄弟朋友同事將何等震驚悲傷。」

「就是要叫親友像萬箭鑽心。」

她倆落寞地回到宿舍。

子成問：「你呢，你的膽色也不小。」

「開頭，我只是想藉外勤工作在同事面前揚眉吐氣，升職加薪，出差三個月之後才知道危險，可是這是我的工作，反而漸漸認真，我害怕嗎，警察與消防員可害怕，煤礦工人可害怕？我只想到做好工作，我回家期限已屆，來接任的，也是一名女子。」

子成一聲不響聆聽。

「回家之後，相信看人看事，態度有所不同。」

子成抬起頭，「金，過去我竟如此瑣碎無聊。」

「是，」金微笑，「我們太縱容自身私欲。」

晚上，金先睡，子成仍然輾轉反側，她索性把手提電腦拿到被窩內，像從前頑童怕大人責備，躲在被裏用電筒讀武俠小說，子成在熒幕上讀范朋日誌。

他這樣寫：「我終於認識了應子成，我倆互訴心事，我們成為筆友，在這狗一般的生涯裏，唯有她是我的亮光及泉源，我收到她的訊息，那種快樂，叫我難以形容。」

子成閉上眼睛。

這時金咳嗽一聲，「好睡覺了。」

子成關掉電腦。

金說：「提到害怕，我就想到三個大學同學，除夕，喝多兩杯，超速駕駛，車子飛越插湖，一起溺斃，全市震痛，我告訴自己，沒有什麼可怕。」

子成嗯一聲。

「很久沒有與室友在半夜喁喁私語。」

每一件小事都值得珍惜。

「一個人活到耄耋，是極之難能可貴的事，報紙社區版上時常刊出結婚六十週

年老夫婦照片，那丈夫當年往往穿着軍服，真是難得。」

子成雙臂枕在腦後，咀嚼金的這番話。

「金，金。」她叫她。

沒有回答，金已經睡熟，子成可以聽到她均勻呼吸聲。

子成把雙手放在胸前，也跟着睡着。

她倆醒轉之際不過清晨六時，整個軍營已經啟動。

子成連忙梳洗，問金：「昨夜無事發生？」

金笑，「安然無恙，當然無事發生。」

子成身邊的電話鈴響，是應太太找女兒，「早，子成，玩得高興嗎，荷包與護照全在身邊？」

子成聲音較常日溫柔得多，再也沒有不耐煩的意思，「都貼身藏在身邊。」

「我的一隻勞力士金錶不見了，是否你取去用？」

「是，媽，那些都是身外物。」

「你說得對，幾時回來？」

「也許今日起程。」

母親千叮萬囑：「一路小心。」

子成掛上電話，看到金以恆微微笑，「是母親吧。」

子成點頭。

「母親孕育我們，世上以母關係最親，家母暱稱我叫胚胎，時常詫異別家母女不和：『怎會與一組胚胎細胞爭意氣？當胚胎欺壓我們，我們只好靜靜退至一角蹲下，待胚胎氣消，再作打算。』」

子成駭笑，金太太竟比應太太更加溺愛女兒，嚇壞人。

金的結論是：「享受母親在世的每一日。」

子成像是鼻子中央中了一拳，半晌，她嗚咽地說：「金胚胎，出去打聽一下，今日什麼時候可以動身。」

兩人剛想出去，軍官已經進來，他說：「兩位請準備，下午三時飛機起程返回渥京，我們將派楊中尉護送應小姐。」

金連忙說：「我不是返回渥太華，我在卡布還有工作。」

「我們派軍用吉甫車送你。」

金又推辭：「我坐牛車就好，反而安全。」

那名軍人敬一個禮離去。

金說：「來，我們到處走走散步，我帶你去看通訊室，范朋工作的地方。」

通訊室在軍營另外一個地方，大堂有一排公眾電話，一間間似投票站一般的亭子，有士兵坐着打長途電話回家，他們的神情焦慮、擔憂、盼望，有人落淚，也有人爆出笑聲，情緒十分複雜。

金輕輕說：「假使電話亭會得說話，不知可以講述多少悲歡離合。」

這是真的，子成覺得惻然。

「有人在電話裏，聽到年輕妻子要與他離婚，她將帶着兩個孩子改嫁，當他回家，孑然一人，只餘一間空屋。」

一個年輕士兵忽然伏在電話上泣不成聲，他說：「我母親昨晚在醫院因癌症辭世。」

但是他隔壁的同事卻笑着問：「母女平安，孩子幾磅？六磅七安士，決定叫安

妮？」

他們都不能夠在現場。

金說：「范朋總給他們方便，幫弟兄來回傳真相片及影象，在這裏，每人致電回家的時間與次數均有限制。」

當然，這是軍營，不是度假村。

「跟我來。」

子成隨金走到房門口，金用手一指：「他就坐那裏。」

子成見到那個角落已經另外有人坐着工作，她黯然。

這時有人客氣地走近說，「女士們，請止步。」

金說聲對不起。

她們輕輕退出。

金與子成到飯堂用早點，她替子成買了水果與三文治，另外有半打小瓶礦泉水，「軍用飛機不提供膳食，你自己帶着。」

她什麼都想到了，人家年紀與子成差不多，但是論聰明才智，生活經驗，不知

勝過多少。

她們聽到新聞報告：「駐伊拉克美軍昨夜突襲一座什葉派清真寺，激起數百名穆斯林示威抗議，美軍稱接到線報：受綁架女記者史密夫正在該處，才對寺院實施空襲，目的為着營救史密夫，但卻一無所獲。」

金與子成都默不作聲。

她們回宿舍收拾行李，金說：「全部手提，沒有寄倉，揹得動嗎？」

子成點點頭，這點她還可以應付。

金用一塊小小絲毯把骨灰盒子包起。

她說：「看到沒有，這邊緣上的圖案。」

子成仔細一看，發覺絲氈上織着7字型自動步鎗圖案，她意外到極點。

「這些像菠蘿似的是炸彈，戰爭連年不停，民間對這些武器熟悉，已變成生活一部份，不由自主，在手工藝上如紡織品上表現出來，代替了花卉與昆蟲圖案。」

子成不知說什麼才好。

「一整代兒童在戰亂中長大，他們已習慣麻木，在街上玩的也是戰爭遊戲，嘴

巴模仿機關鎗軋軋聲互相追逐，繪畫的戰爭場面活靈活現。」

有人進來說：「應小姐請往候機室。」

「即來。」

每次出入，經過所有關卡都必須詳細檢查，精密儀器之外還小心用人手逐件搜索。

「楊中尉剛好服役完畢回國，他願意護送你一齊走，你有什麼需要，可與他說。」

子成輕聲說：「知道。」

她與金依依不捨。

「子成，很高興認識你。」

她們緊緊握手。

「乘搭軍用飛機之後，起碼有一個星期時間，臨睡之前，耳畔像是聽見引擎轟轟，不用害怕。」

子成把頭靠在金的肩膀上。

兩個人都不再言語，再說感謝，純屬多餘。

那邊，有人走進候機室，輕輕問當值員幾句話，當值士兵朝子成背影指一指。

「就是她一個人？」

「范朋是我們每一個人的好朋友，中尉請照顧他的遺孀。」

「我完全明白。」

那人輕輕走近子成。

他說：「我是楊自新中尉，我負責護送你回去。」

子成點點頭，她並沒有抬起頭。

楊中尉是個高大的年輕人，他看到應子成，內心惻然，這名不幸寡婦看上去只得廿歲出頭，面孔只一點點大，臉色慘白，頭髮沒梳好，有點淩亂，身上穿着不太合身的黑色喪服，真是可憐。

但是，她眼睛裏有一股堅毅，她沉默不語，控制情緒，表現令人尊敬。

金說：「子成，我陪你到此為止，楊中尉會送你回去。」

子成低聲說：「明白。」

她上車，這時，她的手提電話響起，是應太太找女兒：「子成，你可好，起程沒有，幾時到家？」

子成低聲答：「一切都很好，媽媽，我稍後才同你聯絡。」

「子成，我真希望你在我身邊，店裏生意忙得瘋狂，客人晚晚在門外排長龍輪候一小時以上，下大雨都不怕，我們派發雨傘及飲料，不知多熱鬧。」

「爸好嗎，蘇銀好嗎。」

「都掛住你，好了，下次再談。」

子成收起電話，她發覺自己嗓音沙啞。

這時，楊中尉輕輕說：「你母親十分關心你。」

子成點點頭。

「不幸中大幸是有親人關懷，請節哀順變，專心照顧子女。」

子女，中尉誤會了，子成與范朋從未見面，何來子女。

「我是隨軍心理醫生，你有需要，可向我傾訴，情緒壓抑心中，未必是好事。」

子成雙臂一直抱着盒子，跟着中尉走上軍用飛機，他倆打橫坐好，中尉照應她用安全帶，子成忽然決定把她的事全數告訴他。

她這樣開始：「我與范朋因另外一個軍人認識……」

她斷斷續續說了很久，子成這才發覺講故事不是易事，時間空間不允混淆，而且，情節不可嚕囌重疊，否則，聽眾失去興趣，會昏昏入睡。

楊中尉一直在旁垂頭細聽，可憐，在飛機上，他甚至不能稍微走開一會，他一定聽得打瞌睡。

子成講完了，吁出一口氣，只聽得飛機引擎聲轟轟。

楊中尉從未聽過如此盪氣迴腸故事：他們竟完全沒有見過面，但他卻豁達地委託她做一件如此悲傷的事，而她也自然勇敢承擔，帶他回國。

人與人就應該這樣。

他深深感動。

他想與她說話，轉過頭去，她卻已經累極盹着，盒子仍然緊緊抱胸前。

他為她蓋一張毯子，聽到她喃喃說：「有時他們回得到家，有時不。」

中尉一時沒聽懂，再想一想，不禁鼻子發酸。

抵埗後軍方派人迎接，子成小心翼翼把盒子交給代表安葬。

中尉問：「有休息的地方嗎？」

「我的家在西岸。」

「你可到舍下休息。」

子成抬頭問：「方便嗎？」

「我已退役，同你一樣，我是平民。」

子成想一想，明日她會回轉西岸，接收新居，回學校辦理一些手續，準備開學，暑假過去了。

她深深吸氣，挺起胸膛。

中尉心想，這個年輕女子竟這樣勇敢。

子成問：「你獨居抑或與家人共住？」

中尉答：「公寓空置已有一段時間。」

他把車駛進市區，市聲熱鬧，子成恍如融世。

楊宅在公園旁，可見到湖景，推開露台窗戶，甚覺舒暢。

楊說：「我去買些日用品，你請隨便休息。」

子成挑了一間客房，剛推開浴室門，蘇銀電話又到，她們說了幾句，蘇銀放心了，又去忙工作。

子成做一杯咖啡，喝半杯，倒在床上，昏睡過去。

她沒有做夢，醒來，知是第二天清早，是個陰雨天，氣溫有點涼，她沒有更換的衣衫，背囊裏還有帶給范朋的餅乾與毛衣，物是人非，叫子成落淚。

她打開手提電腦，電郵爆滿，但再也沒有范朋的音訊，他已不在這世界上。

這時，子成才驀然問自己：這是什麼地方？

這時有人敲門，「子成，醒了，好嗎？」

那人推門張望，子成怔怔看着他，這個神清氣朗的年輕男子是誰？

他提醒她：「記得嗎，楊自新中尉。」

啊，對，昨日她隨他回家，他換上便服，換了一個樣子，子成幾乎沒把他認出。

「請來吃早餐，我做了牛肉粥。」

子成卻打開餅乾盒子，挑一塊，咬一口，已經壞了，牛油一陣噎味，她把餅乾丟進垃圾箱。

他指一指一疊白色棉衫及卡其褲，「我替你置了幾件替換衣裳。」

子成說：「不用了，我即日返回西岸，多謝你關懷。」

「我送你去。」

「中尉，你的任務已經完畢，你的好意我心領。」

「我以朋友身份照顧你。」

子成不出聲，輕輕喝了粥。

楊自新陪她去買飛機票，她才用了信用卡，母親的電話追至。

「子成，你在什麼地方，信用卡公司說有人用你的卡片在渥太華一間航空公司買飛機票前往溫市。」

「那正是我，媽媽，請放心。」

應太太意外，「你怎麼回去了，你不是在歐洲？」

「我見差不多開學，所以回來打點。」

應太太責怪：「子成，你怎麼不辭而別？」

子成語塞，一直陪笑。

「算了，反正全世界的人現今都通地球亂跑，開着電話，隨時聯絡，這也是我鬆手的時候了，凡事小心。」

「媽媽對不起，叫你擔心。」

「擔心這是母親的工作——什麼，店堂有人打架，我去看看。」

子成笑着搖頭。

這時忽然下起驟雨，中尉與子成躲進附近簷篷，原來是一間小小書店，櫥窗裏擺着血紅色封面的一本新書：題目驚人：十大坦克車介紹。

啊，這不是金以恆的著作嗎。

旁邊還有一本書，用一枚紫心勳章做封面設計：「戰地書」，這是加路的傑作。

子成不由得走進去把兩本書都買下。

他們回公寓收拾一下，便出發往西岸。

應太太的電話接踵而至：「子成，你買了兩張飛機票，另外一人是誰？你的朋友？是男是女？」

才說放心，又不捨得，母親都一個樣子。

這時，中尉示意把電話交給他。

他對應太太說：「伯母，我叫楊自新，今年二十九歲，未婚，無不良嗜好，任職心理醫生，剛與子成認識，」他聽伯母說一會，「可以，我馬上傳照片給你。」

他把電話對着臉，拍攝傳出，又把子成拉到身邊，合照，再傳出。

半晌，伯母收到影象，有點訝異，女兒男伴的賣相倒是一個比一個好，這個年輕人有一對濃眉，看上去精神奕奕，叫人歡喜。

伯母如此叮囑：「要叫女友笑顏常開。」

「是，伯母。」

應伯母這才輕輕放下電話，叫人用打印機把照片印出，放進皮夾子裏，心想：本世紀的新發明，數這影象電話最優秀。

到達西岸，子成到地產公司辦公室取門匙。

負責人走出來，「哎呀，應小姐，你怎麼忽然出現，我們還沒替你買齊傢具，只得一張床，」他不懷好意地笑：「我立刻叫人替你送沙發枱椅過去。」

房子就在大學區內，步行可到課堂。

子成邀請中尉做她的客人，「但是，」她說：「送君千里，終需一別。」

他給她看他的聘書，「我是順路。」他原來將在本市大學任教。

子成笑起來，他過兩日要到大學醫學院上班。

打開新居大門，裏邊空無一物，米白中性牆壁，淺色木地板，三樓有四間寢室，只得主臥室有一張大床，難怪地產公司職員要笑。

「我用睡袋便可。」

子成看着他，「擔任軍醫那麼久，見識不少吧。」

中尉吁出一口氣，不加置評。

「軍人多數做噩夢？」

中尉平靜回答：「殺人之後，通常心神混亂。」

還用多問嗎。

他們出去選購日常用品像蒸餾咖啡壺等。

子成說：「我帶你去探訪一個朋友。」

「不如明日我打扮整齊了再去。」

子成搖搖頭，「這位朋友可不能等，你見到便明白。」

她帶着鮮花糕點糖果，去探望柏太太。

小小個子，滿頭銀髮的老太太前來開門，楊自新一看就知道子成的意思。

老太太歡呼：「子成，你回來啦，加路呢，他沒和你一起？這位先生是誰？」

楊自新連忙自我介紹，他看到案上照片，知道這是軍人世家，與柏太太立刻親切地攀談起來。

柏太太給他看一本叫「戰地書」的書，「由作者加路本人簽名贈送。」

楊自新記得子成也買了一本同樣的書。

「你坐下，陪我聊天，子成，你張羅茶點，我天天掛住子成，她是我的好鄰居，她現在住何處？你呢，父母做什麼工作，可有兄弟姐妹，你讀書還是做事，是

否真心喜歡子成？」

子成聽了大笑，可愛的老人同小孩一樣率直，一是一，二是二，毫不掩飾。

只聽得楊自新一一耐心回答：「家父母均是內科醫生，在倫敦執業，英裔母親是微笑行動成員，每年出差兩個星期，我本人是心理學醫生。」

「原來如此，你是子成男友嗎？」

「我希望不久可以達到任務。」

柏太太叫她：「子成，糕點切好沒有，客人快來了。」

話未說完，門鈴已經響起，兩個孩子撲進抱住柏太太，原來是新鄰居女兒，她們長高不少，帶來詩篇，預備與柏太太一起誦讀學習。

「楊中尉，你來唸一唸。」

「嗯，這是一首新詩，」他輕輕讀起：「追憶之瞳驀然又張開，流浪半生，在浮沉中等待，輪迴般意外，幕起一刻，方知故事已修完又修，更改又更改。

「也許蒼天早放棄劇情，角色與對白，只東湊西拼，時間對，人物錯，人物對，地點錯，對對錯錯追逐迷失於聲光中。

「也許眼睛已看不清澈，悲劇與喜劇，叫人輾轉難明，愛情真，緣份假，緣份真，命運假，追憶之瞳最終只看到一場夢。」

子成捧着茶點走出來，聽到楊自新朗誦，不禁呆住，半晌，鼻子發酸，她問：「誰寫得這樣好句，我希望我也做得到。」

柏太太更是聳然動容，「這好似石頭記一書的序言。」

兩個小孩卻不明白，拿着剪報問：「什麼又錯又對，又真又假？」

子成與中尉四目交投，不知說什麼才好。

子成雙目濡濕。

柏太太說：「今日，我們不如讀木蘭詞。」

子成連忙說：「木蘭是我的偶像。」

小女孩問：「木蘭是真人？她真有代父從軍？」

生長在北美的她們只能在動畫製作裏認識古人。

子成與中尉告辭。

柏太太再三叮囑他們多去探望。

這時，連子成都覺得身上有汗酸氣，必須回家梳洗。

「人類真是麻煩，你看，老虎獅子熊貓均不用淋浴。」

「你也去過動物園，那種臭臊味真是不用說。」

他倆洗得混身芬芳之後到露天咖啡座吃晚餐。

這樣當是一天。

晚上，子成做夢，看到范朋，他站得很好，癱瘓雙腿經已痊癒，清癯臉容帶着笑意，他倆站在湖畔，他對她說：「子成，我敬你」，拾起小石子，斜斜飛擲出去，石子在湖面上蹦跳三四下才沉下去。

子成說：「有什麼稀奇，我一早就會」，她也拾了石子，往湖面上扔，可是沒成功，石子咚一聲影蹤全無，她聽見范朋笑聲。

子成轉過頭去，范朋已消失影蹤。

她知道是個夢，但不知為什麼會做那樣的夢，不禁欷歔。

中尉還未起來。

子成出門去見老師。

老師迎出來，「子成，你又瘦又黑，去什麼地方來着，快開學了，別心猿意馬，請努力功課。」

子成說：「老師的分數太刻薄，我查到有人拿九十五分，那是誰？」

「韓克麗，她的確寫得比你好，她寫南美洲農民困境。」

「老師偏心，我要求轉系。」

「什麼，就差一年畢業，還心思不定？」

「我想過了，我將讀時裝設計。」

「你以為容易讀？要從棉麻如何種植生長讀起。」

「那麼，學烹飪做甜品，日做一蘇美厘，自己吃下去。」

「嘿，有女同學殺龍蝦不忍心痛哭失聲。」

子成不服氣，「只有人類要讀書受教育，為什麼？學那麼讀那麼多才有一點點智慧已屆壽終正寢，有何益處？」

老師歎氣，「這樣吧，我給你加分。」

「加多少？」

「你另外做一個附記，我給你加五分。」

「五分？我不要五分。」

寫得賊死，才多五分，子成已無興趣追求分數。

她說：「我到坎達哈之際，該處並無戰事，可是兩年前戰爭遺下火藥氣味，仍然刺鼻，整個城內空氣蔓延着一陣酸焦。地下一個個大洞，頹垣敗瓦，民不聊生，可是我們師生不過坐在家中，在網絡上尋找資料，七拼八湊，改頭換面，做成報告，真正紙上談兵，憑老師喜歡，隨便給個分數，為什麼？」

老師微微變色。

「我決定轉系。」

「應子成，你考慮清楚。」

子成覺得氣氛不對，想略為補救，「老師，暑假你忙什麼？」

「紙上談兵，自欺欺人。」

子成知道把話說重了。

「子成，記住，你是我的明星學生，半途而廢，實在可惜。」

子成告辭。

在大堂看到染色玻璃上拉丁文大學格言：Summa cum laudis，至高榮譽。

她站着凝視，當日她每朝經過這句格言都覺得驕傲，高等學府，追求學問，高尚理想，今日，她有疑惑。

子成轉到圖書館，管理員看到她證件抬頭說：「楊先生找你。」

子成一看，楊自新就站在她對面。

子成問：「你來報到？」

「我來接女朋友回家。」

子成微笑，「我們是男女朋友關係嗎？」

「伯母說，要令女伴笑口常開。」

子成咧開嘴笑，「我正考慮轉往何系，圖書管理可好，抑或紡織、農科、考古？天文也不錯，本校天象館赫赫有名。」

楊自新溫和地說：「讀書要學的，其實是思考能力及應對困難，我不勸你轉系。」

「因為無論哪一科，都是寫報告計分數吧。」

「正是，沒有一科容易讀，大學不會輕易讓你畢業。」

楊把手臂擱子成肩膀上，好像兄弟，又似隊友，手臂沉重，可是叫子成舒服。

「是伯母叫你做説客？」

「不，我只是提出我忠實意見。」

「你見過真實世界，如何再回到這象牙塔裏坐井觀天？」

「子成你太偏激，做學問是另外一個境界。」

「讓我們去吃冰淇淋，休養生息，挑戰最高榮譽。」

走過池塘，自新彎腰拾起一塊石子，子成注視他，以為他要表演技巧，讓石子在水上跳舞，誰知他只隨手一扔，咚的一聲，石子沉下湖底，反而有小魚受驚跳躍出水面。

子成微笑，她也拾起石子，逐顆丟進水中，有人自樹叢探出頭高聲叫：「朋友，我們在垂釣，你們去別處玩可好？魚都叫你們嚇走了。」

子成挽着自新的手離開。

子成說：「離開大學，便是蠻荒世界，無處享樂。」

鄰居以為他們是夫妻：「楊先生太太，回來了。」

子成也懶得分辯。

正當以為風暴之後有好日子過，母親的電話來了，她開門見山，也不解釋，只是簡單告訴子成：「我與你父親已正式分手，子成，我們已辦妥離婚手續。」

子成慘叫一聲。

「請你接受事實，並且相信，我們雙方都已盡了最大努力，但仍然無法維持夫妻關係。」

「毛病出在什麼地方？」

「他一直希望同時擁有一個沉悶老妻及一名年輕女友，我做不到，那女友亦做不到，故此他只得選擇其一，在他未作出決定之前，我已送上離婚文件。」

子成痛心，「他已多次犯錯。」

「你只能說他故技重施，或是老毛病又犯了，可是，對他來說，並非過錯，只是他的妻子不夠寬洪大量。」

應太太講得如此客觀，可見已無挽回餘地。

「媽媽，你會回來嗎？」

「我的生意蒸蒸日上，我預備大施拳腳。」

「你肯定你沒事？」

「我很好，你放心，我下次再與你詳談。」

「第三者是什麼人？」

「物必自腐然後蟲生，是誰不一樣。」

「那你是知道的了，母親，我已長大成人，這人再也不會對我造成任何創傷，你大可以把她身份告訴我。」

「子成，她是蘇銀。」

子成驀然沉默。

世上千萬個名字，她沒想到是這一個。

半晌她問：「我的朋友蘇銀？」

應太太淡然說：「正是她，她年輕，對異性尚有憧憬。」

子成叫起來，「怎麼會是她。」

「子成，我有事要走開一會。」

子成只得放下電話。

自新見她神色大異，因問：「發生什麼事？」

子成頹然，「父母終於離婚，我害怕了十多年的事終於發生，這段日子來他折磨我們母女，有時回家，有時不，正當我們以為他不再回來，他又偏偏出現，一心以為他回心轉意，他又失蹤，這次母親下定決心，不再陪他玩這個自私無恥遊戲。」

自新不敢置評。

「他不願捨棄溫暖熟悉安全的家，又不甘心平凡，最好母親替他守着寶座，讓他在外邊自由自在耍樂。」

自新握住子成雙手。

「叫人心寒，甚至對婚姻徹底失望。」

自新做一杯熱茶給子成，看着她緩緩喝下。

「蘇銀出賣我！」

楊自新終於忍不住笑出來，「子成，你竟如此天真可愛。」

子成洩氣。

「這件事你也承認醞釀十多年，終於獲得解決，理應當放下一塊大石，他們的事，你又不甚清楚，許多根緣，在你出生前已經種下，你別理父母的事，好好處理自己生活是正經，可幸你們三個人都不虞經濟問題，已是不幸中大幸。」

楊自新分析得頭頭是道，不由子成不佩服。

子成呆一會，「以後，每逢假期，再也不必以為他會回家，門一響，立刻撲到窗前觀看，有電話，便問他飛機班次，自十歲開始，身段漸漸發育，身量漸漸高大，願望不變：爸爸幾時回來。」

現在終於無望。

許多朋友，對父母分開一事應付得很好，健康愉快做人，子成不是其中之一，表面上她也應付得宜，但內心始終憂鬱。

「可要到峽角去對着蒼穹搥胸大叫？」

「你太知道我心意。」

自新駕車帶她到近郊，走到森林區遠足小徑，「來，盡你的力氣尖叫，多久都不怕。」

子成對着天空大叫大跳發洩情緒，雀鳥紛紛飛起，松鼠獾兔等小動物竄逃。

自新取笑，「金剛出山了。」

子成坐倒在地，啼笑皆非，哭又不是，笑又不是。

自新扶她起來，這時，她外套上黏滿樹林各種芒種，自新替她逐顆除下。

「舒暢點沒有？」

「喉嚨痛。」

世事古難全，自新給子成一顆喉糖。

他們都痛惜她：大品、周曙、加路，還有可敬的范朋，現在還添一個楊自新。

但人物也許正確，可惜場景不對，時間也錯了，總之，三個緣份因素無法統一，她應該抓住自新嗎，她又能否抓得住他？

自新駕車往市區，兩人喝完咖啡在鬧市散步，整條街都是不甘寂寞的年輕人，

有街頭藝術家在行人道上表演，自新說：「我最愛魔術」，子成說：「我喜歡音樂」，自新連忙補一句「我也是」。

有人扮年輕人卜狄倫一邊彈一邊唱，還要兼顧口琴，歌曲是熟悉的搖鼓先生：「嗨，搖鼓先生，請為我玩一曲，在這個叮噹唧的早晨，我將隨你而去……」

子成扔下一塊錢。

自新說：「美國六十年代十分逍遙頹廢，人們住在公社裏，與政府對抗，日子彷彿容易過，不比今日，人人忙着努力向上，掙扎得透不過氣。」

「別忘記六十年代有可怕的越戰。」

「他們現在又想做朋友了，」自新說：「人要自己爭氣，切莫希企他人相助。」

「所以你叫自新吧。」

「祖父囑我家堂表兄弟各人自新、自強、自敬、自尊、自勉，還有最小的自成。」

「都是好名字。」

「我們回去吧，夜深，他們喝多了，便走到街上鬧事。」

子成說：「今晚很高興，許久沒這樣舒暢。」

自新說：「我也是。」

「雖然煩惱依然存在，死結尚未解開，但總算苦中作樂。」

自新又說：「我也是。」

子成想笑，為着討好她這三個字彷彿已成為他的口頭禪，不過她已不是當年少不更事的應子成，她已學會尊重別人，她忍住笑。

回到家，一下車便看到有個人蹲在門口，自新本能保護子成，一掌把她推到他身後，吆喝：「誰？」立刻取出手提電話。

那人叫起來：「是我，子成，是蘇銀。」

子成吸進一口氣，從自新肩膀上張望出去，果然是衣著光鮮的蘇銀，子成在自新耳邊輕輕說：「她便是我的最好同學及朋友，亦即是我父母之間的第三者。」

自新點點頭。

蘇銀說：「子成我有話說。」

子成擺擺手，「不用說了，我都明白。」

「子成，你諒解我？」

「你何必奢望他人原諒，總之你達到目的便是成功。」

鄰居的狗聽見人聲吠了起來。

自新說：「兩位請進屋子說話。」

三個年輕人進屋，自新說：「我調酒手段不錯，兩位喝什麼，威士忌加冰，還是乾苦艾？」

子成答：「啤酒就好。」

自新招呼她們，「我在書房，有事叫我。」

蘇銀看着他背影，「子成，你命真好，又得到一個值八十分以上的服務員。」

子成答：「你豈非更好，應鉅容年紀是大一點，可是為人疏爽，你下半世的開銷有着落了。」

「那有你說得那麼好。」

子成攤攤手，「蘇銀，發生什麼事，我倆自小是同學，你活潑可愛，不像是陰

暗猥瑣的人。」

蘇銀歎口氣，「你不信我仰慕應鉅容？」

子成失笑，「拜託，你比我想像中更無聊。」

「子成，你自幼受父母寵愛，你習慣了不察覺幸福，而我，他人一滴一點恩惠，對我都屬珍貴，應鉅容對我關懷、照顧、愛護，都叫我感動。」

子成雙臂抱在胸前，「那不會長久，那是他一貫技倆，他容易變遷。」

「他說他已近六十歲，他不會再變。」

「你相信他？」

蘇銀舉起啤酒瓶對着瓶口喝一大口，骨碌吞下，「我願意享受每一天。」

「這倒是正確態度，可是，請恕我粗鄙，六十歲的人了，鬆弛皮膚及多餘脂肪在脖子腰間打轉，面頰手背出現老人褐斑，喝水吃飯易打呃，他又喜剔牙、抖腳，這些習慣，你會容忍？」

蘇銀不出聲。

子成毫不容情繼續說下去：「他近視，又老花，不願戴雙光眼鏡，生活細節疙

瘩奢糜，什麼都講究品牌，這些，你都受得了？」

蘇銀還是沉默。

「他贈送予你的厚禮，足以補償一切？」

「子成，不要刻薄我。」

「我所說的都是事實，他是我父親，我太了解他，我勸你們分開住，他用浴室從不沖廁，毛巾扔一地，衣服脫下從不掛起，你明白嗎，他是暴發戶，越多人服侍他越高興。」

蘇銀忽然說：「同你差不多。」

「什麼？」子成跳起。

「茶來伸手，飯來開口，子成你也一樣。」

子成苦笑：「看樣子你心意已決。」

「請你諒解，不要因我這個無關輕重的人而壞了你們父女關係。」

子成無奈地回答：「父女關係一早已七零八落。」

「一家人為什麼要打仗一樣？」

子成答：「因為父親賺了一點錢，心意不堅，受外人覬覦，幾次三番背棄家庭，家母已認輸，舉起白旗，這一仗聖戰拖得太久，贏了同輸一般可怕。」

蘇銀一怔，她沒想到子成會那樣說。

「家母不打了，也不希企他回不回家，輪到你上場，你年輕體壯，有氣力有時間，你可能會贏：把錢先榨過來，趁他老了，把他丟在家中，你忙你的去。」

子成忽然笑起來，活該，應鉅容，你以為活潑的新女友會小鳥依人般孵家中服侍你？

「你這樣說有根據嗎？」

子成答：「我太熟悉你們兩人。」

蘇銀說：「我是白來了。」

這時，自新推門出來，咳嗽一聲，「我給你倆做咖啡。」

蘇銀低聲說：「你一向喜歡碩健的男子。」

「V型背脊，六塊腹肌，強壯肩膀，濃厚毛髮，雪白牙齒，你不喜歡嗎，我不是屬靈一類的人，我膚淺地貪戀漂亮肉體。」

自新做了芝士三文治給她們，這食物，簡單美味，像一個年輕英俊高大男子般實在。

子成說：「我送你回去，蘇銀，你沒有白來，你是要看我的反應，你已看到。」

蘇銀說：「你不用送我，我的房子就在同一區下一條街，司機在對面等我。」

子成意外，她揚起一條眉，「恭喜你，我記得你說過，女子最好的時光，不過是這幾年，晚年吃粥吃飯，就看這幾年努力與否，你現在可高枕無憂矣。」

「是，同你一樣，子成，我不愁衣食。」

「你一直希望有一個家。」

「我找到了，不來自父母，而是靠自己雙手。」

子成點點頭，她雙手的確不管正途邪途，十分能幹。

子成打開門，恭請蘇銀離去。

蘇銀低聲問：「不能再做朋友？」

子成答：「你見好該收蓬了，我不恨你，我也不傷心，我根本不認識你，你最

好在我生命中消失，讓我繼續生活下去。」

子成嘭一聲關上門，蹲在地下，用手掩住臉。

自新出來扶起她，子成不願站起，自新陪她坐地。

子成說：「可恨的父親，可憎的好友。」

「這女子甚工心計。」

子成想一想，輕輕說：「她知道我家的事，她知道父親與女友分手，她在家母身上用工夫，跟隨家母回去，目的卻是我那不中用的父親，她全盤計劃妥當，才決定輟學，然後，趁我懵懂，大肆拳腳，大展鴻圖，得償所願。」

自新用雙臂摟住她。

子成吁出一口氣，「我現在什麼都沒有了，連家母都學會獨立生活，我孑然一人。」

自新輕輕說：「你還有我。」

子成撫摸他的濃眉，「男友最靠不住。」

自新微笑，「我終於升任男友身份。」

子成撫摸他濃厚頭髮，豐潤嘴唇，光潔皮膚，以及刺手鬚根，他親吻子成雙手。

自新的微笑真是動人，子成用法語説：「用世界換你的微笑，有首動聽的歌叫pour ton sourice。」

「我最歡喜你頭腦簡單，個性鈍胎。」

子成啼笑皆非，「謝謝你。」

這時電話響，子成不得不站起去聽。

自新以為又是伯母找女兒，但不是，只見子成忽然垂頭，「莊牧師，是，我是應子成，請説」，她聽了一會，忽然之間，淚如泉湧，「是，是，我記住了，明日下午三時。」

她扔下電話，找到一塊毛巾，掩着臉號啕大哭。

自新追問：「什麼事，什麼事？」

雷家這樣遲才通知她，子成匆匆到花店，只看到百合與玫瑰，她一側頭，發現一束大紅罌粟花，不禁又落下淚來，她看着店員把花紮成花環。

自新輕輕說：「時間差不多了。」

他們早到，可是小教堂裏已經擠滿人，前排全是老年軍人以及政要，後座是他感動過的舊友。

子成輕輕上前，把花環放好，然後蹲下與柏太太說幾句話。

柏太太輕輕說：「你來了，我與英偉都感激。」

子成說：「奇偉與英偉終於再度見面，他們正在暢談歡聚。」

柏太太點頭，露出微笑，「我也這麼想。」

子成退回後座，已經沒有座位，她只能像其他聞訊而來致敬的市民一般站在後邊，聽牧師主持儀式。

子成眼淚無法抑止，哭得頭臉腫起，她穿着黑色禮服，小小帽子上朦着黑色網紗，都在今晨急就章購買，略為緊窄，熱得她出了一身汗。

自新坐在後排，進出兩難，只能轉身與子成招呼。

子成雙手緊握，垂頭不語。

就在這時，有人在身後叫她：「子成，是你。」

子成回頭，看到熟悉的高大身型穿着黑色衣褲。

她泣不成聲，「加路。」

加路不顧一切把她緊緊擁進懷抱，「別哭，老兵不死，他只是去歸隊。」

「加路，我真不捨得他。」

「我也是，我們都捨不得他。」

子成伏在他胸膛前飲泣。

這情景看在楊自新眼中叫他發獃。

從什麼地方走出這樣一隻大猩猩，他把子成擁在懷抱，子成躲在他寬大腋下整個人似乎消失，這是誰？

他內心忐忑，強忍着不忿直至儀式完畢。

有人輕輕對他說：「楊先生，請到柏太太處用些茶點。」

待他擠出教堂，已不見子成與大個子影蹤。

自新生氣：舞會第一守則：同什麼人來，便同什麼人走，子成連這點都不懂，豈有此理！

可是，自新歎一口氣，這並不是舞會，這是一個喪禮，子成所尊重的人離世，她心緒難免有點亂。

他只得駕車獨自前往柏家。

這時，子成坐在加路的吉甫車上。

她問他：「你到什麼地方去了？」

「在格拉柏哥斯一聽到消息連夜趕來，還來得及見最後一面，你別難過，老人沒有遺憾。」

子成抱怨：「他們到昨午才通知我。」

「雷老臨終十分平靜，還清醒問我漂亮女友在什麼地方。」

那是指誰？

「他指你，子成。」

子成靠在加路肩上。

「你也趕來了。」

「我根本就在本市。」

加路歎口氣，「見到你真好。」

他把下巴壓在子成頭頂。

「我買到你的書。」

「還喜歡嗎，聽出版社說，仍算銷暢。」

他幫她脱下外套，走進柏家。

柏太太給他們遞茶，輕輕問子成：「你的男朋友呢。」

子成張大嘴，不妙，她急出一額汗，一見到加路，匆忙間便撇下自新，她敢情像她那可恨的父親，她怎麼會做出這種事來。

子成羞愧得雙目通紅。

老太太握住子成雙手，「三兄妹只剩我一人在此。」

她把一隻木盒交到加路手上。

加路輕輕打開，盒裏排列放着雷英偉的勳章。

老太太說：「都送給你了。」

加路揣在懷中，沒有言語。

這時，楊自新走進來，子成迎上去，站他身邊。

她說：「我有點不舒服，請送我回去。」

自新點點頭，他心想：一定要好好處理這件事，切莫小事化大。

他不着邊際地說：「二次大戰英雄去一個少一個，叫人難過。」

子成默默跟在他身後離去。

回到自己家，子成淋浴更衣，坐在露台上發獃。

自新走到她身邊，給她一杯長島冰茶。

子成忽然說：「自新，我們結婚吧。」

自新一怔，「結婚是大事。」

「時間正確，我正值適婚年齡，地點也對，我倆簡單註冊，請莊牧師主婚，柏太太證婚。」

自新卻問：「人呢，人對嗎？」

「自新，你性格穩定，身體健康，最適合做伴侶。」

「你還可以有很多選擇。」

「喂，你這是拒絕我嗎？」

「不不，我應允你求婚，記住，將來子孫問起，是你向我求婚，不是我求的。」

「誰求誰真的如此重要？」

「對我來說絕對需要抓緊。」

子成抱緊他，只聽得自新說：「再緊點。」

他們去出看訂婚指環。

子成對珠寶店服務員說：「最小的鑽石。」

店員以為她開玩笑，取出數隻相當可觀的鑽石指環。

自新順手挑了一枚，「就是它吧，我未婚妻手指五號，恐怕要改小一點。」

讀心理學的他對一切觀察入微瞭如指掌，可是都放在心中。

店員請子成試戴。

子成指着另一隻極細寶石的永恆指環。

自新立刻說：「就這一對吧。」

這時，子成的手提電話響起，她走到一角去聽，原來是加路：「我放了一冊簽名書在柏太太處，請你有空去取，再次見到你感覺微妙，子成，我沒有忘記你。」

子成不出聲，她在心中歎氣。

加路問：「你在什麼地方？」

「我與未婚夫正在挑選指環。」

加路意外，「啊，我已錯失良機。」

「那邊也有人在等你回去，別叫她失望。」

「我明白，祝你幸福，希望你已得到你真正想要的。」

「謝謝你。」

電話掛斷，子成吸一口氣，回到櫃枱，「我只要這隻。」

店員十分有禮，「這位小姐品味真好，確是最佳選擇。」

自新問：「為什麼不挑貴一點的？」

子成答：「適可而止，家母有許多寶石，有些活像七彩水果糖，可是，並不使她特別快樂。」

「快樂發自內心，詩人緩斯和夫詠水仙花中就充滿這種歡愉。」

子成微笑，「我也猜想一個心理醫生會那樣說。」

「寂寞的詩人在湖邊遊蕩，忽然看到一大片美麗蛋黃色水仙花，他刹時感覺恩典，上天待他不薄，從此之後，每當他看到水仙花，就感恩振作。」

「他是一個謙卑純真的好人。」

「你可去過英國甘俏倫湖區？」

「我時時想走一趟。」

自新說：「我們明春去該處遊玩，看那漫山遍野的水仙花，你會發覺，叫詩人感動，自然有原因。」

子成微笑不語，雖然在笑，嘴角卻有點下垂。

自新在首飾店外說：「車子歸你，我用地下鐵路往系主任處討論新學期課程，約六時許回家，請等我晚飯，我做拉麵給你吃。」

已經像結了婚，子成心中踏實，可是……子成搖搖頭，不再去想它。

車子駛入橫街，子成抄近路上橋回家，引擎忽然發出軋軋聲像是病人咳嗽，自

新的老爺車終於發病，子成想：真失策，應一早叫MB廠送新車來。

引擎喘兩聲靜止，它壽終正寢。

子成落單，對環境十分警惕。

她探頭一看，發覺車子竟然就停在一爿修車行之前，子成連忙打開車門求救。

「喂，有人嗎？」

裏邊有人應，「請等等」，那人躲在車底，正在修理車架。

子成極少來這一帶工廠貨倉區，她立即打電話給熟悉車行經紀：「是，我在咸美頓三七八號海鷗車房門口，請你派人接我，你親自來，十分鐘後到？太好了，我知道，早該購置新車，躭會見。」

她收好電話，就在這時，有人在她身後說：「七十三元車資，我送你過橋回家。」

子成一呆，轉過身來，脫口問：「為什麼，不多不少七十三元？」

只見車底下技工已經鑽出站在她面前。

子成呆住，看着他，不相信眼睛，她閉上雙目，又張開，他仍然站在那裏，撐

着腰，只穿汗衫短褲，混身油污，笑說：「你沒看錯，正是我。」

子成恍然隔世，她強笑，「大品，是你回來了。」

可不正是曾大品，他一點也沒變，伸出手，「可愛的子成，多巧，你車子竟在此拋錨。」

子成握緊他雙手。

「進來坐，喝杯啤酒。」

「大品，你怎麼回來了，太太呢，好嗎？」

「你怎知我已婚？」大品詫異。

子成笑：「我有線眼。」

「我即將做父親，故此回來探親，想籌點本錢擴建家居迎接小生命，這是我表叔的車行，我在幫忙。」

這兩年來的委屈忽然攻心，子成淚盈於睫。

「子成，你與我記憶中形象一模一樣，一點也沒有變。」

子成手中握着啤酒罐，喝了一口，強忍酸淚，「快樂嗎？」

「我很好，你呢，子成？」

「我也不錯，大品，為什麼是七十三元車資？」

「那時我送你回家，再回轉，車資便是七十三元。」

「那麼貴？我竟不知，對不起。」

「與你約會是我最開心的日子，相信做人父親也是。」

「大品，你很幸運。」

「我應與你聯絡，但又怕應先生太太不高興。」

「電話仍然是那個號碼，隨時與我接頭，我已成年，而家父母亦已離異。」

大品感喟：「那麼多變遷。」

這時，一輛簇新MB跑車駛進橫街，響號。

大品一看，「接你的人來了。」

「那是車行經紀，大品，有一件事想問你。」

「你儘管說。」

「你軍中的朋友范朋——」

「誰，叫什麼？」

「范朋，通訊員。」

大品想一想，「軍中好幾個朋友，今日尚有往來，約了打獵釣魚，可是，沒有范朋這個人。」

「他坐輪椅，雙腿不便，駐通訊室。」

大品拍一下手掌，「好像是有這個人，他怎麼了？」

子成發獃，「你倆不是好友？」

「我想不，他怎麼說？我只托他傳真過一次。」

子成呆呆看着大品，原來如此。

車行經紀下車走近，「應小姐，車子我給你開來了，就是它好不好，你喜歡的銀灰色雙座位，改天同你辦手續。」

大品識趣地說：「你有事先走吧。」

子成恢復自然，「呵，好，我們再聯絡。」

她上車，把簇新跑車開走。

大品對車行的人說：「如果我沒猜錯，她已買下新車。」

經紀笑，「你猜得沒錯，應小姐一向最爽快。」

曾大品喃喃說：「真是一點都沒變。」

經紀打電話叫計程車回車行，做成一單生意，歡天喜地離去。

大品鑽回車底，用焊錫火花四射修理車架，忽覺臉頰涼快，以為是滴水，伸手一抹，發覺是眼淚，咦，男人老狗，怎麼會流淚？一定是火花耀眼刺激眼珠之故。

他坐着發獃，過了這些日子，他心仍然隱隱發悶。

也許應先生做法完全正確，找到他，誠懇地邀請他到附近酒館喝一杯，同他坦誠地說：「小女子成除出吃喝睡什麼都不會，二十歲的人看牙醫還要媽媽陪同，連開水都沒燒過，煎蛋險釀成火災，她無腦袋，思想稚嫩如七歲孩兒，曾先生，你要一個這樣的伴侶嗎，她以為金錢長樹上，摘下花用便可，而且，凡事不得提這個錢字，否則同她父親一樣，是個銅臭俗人。」

大品即時明白了。

「曾先生，我應某人冒犯你了，請讓她好好讀書。希望有一日她會成熟，屆時

再說吧。」

剛才見她一貫闊綽氣餒，看樣子一成不變。

大品微微笑，這麼看來，他彼時從軍的決定也完全正確。

大家都做對了，但是，為什麼心裏都不好過？

剛才，她問起誰？范朋是軍營通訊員，子成又怎麼知道有這個人？

這時，他的表兄弟回來了，嘻嘻哈哈，帶着身段豐碩衣著暴露的年輕女友，大家一起喝啤酒，建議駕車兜風，大品的心情漸漸寬暢。

至於子成，她匆匆把車開走，倒有原因。

若說大品一點也沒有變，那麼，變的是她。

父親不允他倆繼續來往，的確是有原因。

大品身段仍然同以前一般紮壯，可是他也照樣不修邊幅：頭髮很久沒有修洗，黏成一搭搭，一身油污，線衫破爛，雙手全是小傷疤，指甲鑲着黑邊。

當然，他鑽在車底開工，不可能整潔，但是，她是怎麼認識他的？

一日，同學車子拋錨，急召拖車公司，人來了，討價七十三元；這便是數目字

的來由，就這樣，他向她要電話號碼，他們開始約會。

他身上有汽油及宿汗氣息，他警告子成：「這些臭味也許永遠不能洗淨」，他開得一手好車，帶她到彎裏彎山裏山飛馳，有時用一部哈利機車，她抱緊他腰身，面孔貼在他背脊。

不到一個月，某位伯母在一個油站看到他倆。

他們在街上擁抱，他親吻她額角，伯母並不覺猥瑣，不過，那是她熟悉的女孩，自幼稚園看大，她躊躇良久，終於做了一件華裔伯母阿姨們都會認同的事，她向應太太打了小報告。

一星期後，應鉅容趕來見女兒，做他份內的事。

他給子成看一張彩色照片，漂亮得像時裝雜誌內頁，根本不似私家偵探拍攝：大太陽底下應子成與曾大品站在大學鐘樓底下，他深深凝視她，吻她的臉，兩個人的影子長長拖映在紅磚地上。

如此剎那深情叫人心悸，快快趁年輕時熱戀，因為季節很快過去，悔之不及，確然，之後，應子成再也沒有那樣擁抱過另外一個人。

跑車飛馳返家。

自新自廚房出來迎她，一看到簇新車子，不禁問她：「發生什麼事，舊車呢？」

子成把事情說一遍。

自新不禁有點生氣，「你就那樣把舊車撇在道旁？」

子成這才覺得歉意，「對不起。」

自新立刻去聯絡車行拖車。

與父親正面衝突後，子成打算邀大品私奔，大不了他一輩子在加油站工作，她餘生在快餐店煎漢堡。

可是大品已經從軍，出發到中東。

子成到最近才願意與父親對話，可是，蘇銀又從中介入，子成失去所有她愛的人。

半晌，自新捧着他做的拉麵出來，「來，批評指教。」

「舊車怎樣？」

「沒事，已進車行修理，起碼還可以用三年，是我不好，我不該丟下你。」

「你別見怪，全是我粗心。」

兩人相敬如賓，十分文明。

子成想到那張照片，不由得妒忌年幼無忌無知的自己，像從來不曾愛過那樣熱烈，像永遠不會再愛那般逼切，每個人都應該如此熱戀一次。

她垂頭落淚。

自新問她：「怎麼了？」

子成抬起頭，「你同我家長講了沒有？」

「應伯母下星期一來看我們。」

子成嘀咕：「這些長輩，七日不乘飛機就怕失禮世人，非找個芝麻綠豆理由走一趟不可。」

自新只是笑。

他斯文儒雅，敬人又自重，涵養功夫一流，最重要的是，他認識她，她不必作假，她的事，他都知道，還不清楚的，也猜得到。

自新雪白襯衫還帶着洗衣粉香氣，長褲熨得筆挺，他懂得照顧生活。

「來，去看看我的宿舍，舊是舊一點，可是氣質搭夠。」

他把她帶到一座維多利亞建築三層房子，拉她步行上三樓，「你有這個運動永遠不用節食」，一看見古色古香雕花大門，子成就高興，推門進去，只見有歷史的木地板上斑痕纍纍，窗台、牆角，都鑲裙邊，他倆像走進二十世紀初期，子成駭笑，「天呀，還用水汀。」

她喜歡得不得了，這時，剛好一群鴿子在窗外飛過，不知誰家的玳瑁貓，自防火梯爬下蹲在窗台偷窺新鄰居。

「喜歡的話可以馬上搬進住。」

「我自己的房子呢。」

「充作度假屋，週末用，星期一到五，住宿舍方便我工作你上課，你說如何。」

他都安排好了，不用她操心。

子成可以繼續做她的三不管。

她連轉系的事都漸漸打消；還有一年畢業，屆時還清債項，海闊天空。

自新當晚這樣同應伯母說：「是，子成比起同齡女子，的確沒她們老練，但是，想她長大，您必須允許她長大。」

伯母立刻知道女兒這次選對了人。

第二天中午，子成與母親說話：「我幫你準備客房。」

母親答：「我不與你們住，我當然住酒店，一早已訂妥。」

不住有人打她的電話留言，子成按鈕，看到訊息：「周曙找子成。」

周曙！他們都回來了。

「什麼？」

「我有要緊事。」她打斷母親話柄。

子成最想見的人是范朋，可惜他卻永遠不會回轉。

子成心酸，與周曙說話：「我是子成，好嗎？」

「子成，別來無恙？」

他那邊有許多雜聲，特別是孩子叫嚷笑鬧。

「我在飛行博物館做義工，領隊帶小學生們參觀直升機庫，你要來嗎？」

子成說：「我二十分鐘後到。」

他們彷彿都趕在她結婚前夕來見她一面。

她駕車往飛行博物館，直升機陳列在北端一個大倉庫內，子成一走進去便看到周曙站在一群孩子當中演出。

她在不遠之處站住。

周曙帶笑意的聲音講解：「這一架，叫喇嘛，可飛至四萬一千呎高空，印度用來巡邏喜馬拉亞山邊境，可在較稀薄空氣中操作。」

他又指着另一架，「這是運輸直升機千諾，可運載重達十二噸貨物，安全可靠，可作拯救搜索用途，各位同學，可知最早飛行機器由誰發明？」

孩子們七嘴八舌，紛紛舉手。

這時，周曙看到子成，大聲說：「跟我走，一起去吃冰淇淋。」

子成迎上，「周曙你找我？」

「應伯母叫我來見你。」

「家母，為什麼？」子成愕然。

周曙笑，他臉上的雀斑數目比從前更多更密。

子成微笑，「你看上去永遠像長不大的孩子。」

「彼此彼此，應伯母說你又宣佈結婚，很不放心，叫我來看你，讓你比較一下，希望你沒選錯人。」

子成一聽，即時訴苦：「你看我是否一早應該與這種父母脫離關係。」

「他們是真關心你，你應慶幸。」

「什麼叫做又宣佈結婚，我算是結婚專家？」

「我也向你求過婚，並且得到應先生夫人允准。」

「那是許久之前的事，我並沒有答應。」

「伯母想知道，為什麼三個月前說不，今日說是。」

子成無語，她隨孩子們排隊買冰淇淋，同服務員說：「我請客」，全體孩童歡呼：「可以要雙球嗎？」氣氛熱烈。

這時子成轉過頭去，「他是一個有為青年。」

周曙攤攤手，「我也是呀，為什麼不是我？」

「他性格儒雅，不像你咄咄逼人。」

「我也對你百般遷就，千依百順。」

子成看着周曙，「是嗎，你有嗎，你對我諸多隱瞞，你不曾把真相告訴我。」

「我的工作與國防有關，我可以告訴你，但是，隨後我需殺你滅口。」

「司馬昭之心，路人皆知：國家地理雜誌在六個月前已經開始向國民詳盡介紹伊朗最新衛星地圖，它的城市分佈，它的山脈河流，果然，最近宣佈有意武鬥。」

周曙吸一口氣，不出聲。

「可是，你還是不願轉換工作。」

周曙輕輕說：「你只是不愛我。」

子成微笑，「我愛你每一顆雀斑。」

周曙也笑，「可是你怕將來我倆的孩子也一臉棕斑。」

「不，周曙，我倆宗旨不同，大前提無法吻合。」

「那位先生擔任什麼職務？」

「他是心理醫生，他此刻在大學教書。」

「同我一樣。」

「不，與你完全不同，你別歪纏。」

這時家長們紛紛領回子女，原來大人手中有票根，逐一小心核對，周曙才把孩子交回。

這時只剩子成一人，她說：「我也要走了。」

「我叫你生氣，他叫你笑，可是這樣？」

「自新默默支持我。」

「那盲從之徒叫自新？」

子成忽然笑了，「周曙，你要故意激惱我。」

周曙歎口氣，「我的不忿並非假裝，伯母也替我不值。」

「多謝你來看我。」

「我隨傳隨到。」

子成想，自新可不會這樣宣諸於口，自新含蓄得多，她處處維護自新，由此可

知，她愛他的確多一點。

周曙頹然，「只差三個多月，為什麼厚彼薄我？」

子成伸手輕輕撫摸他的臉，「去，去鑽研最新殺人武器。」

周曙啼笑皆非。

「娶一名少將或是中將為妻，雄糾糾，氣昂昂，子女一歲開始接受軍訓，每朝五時，開始步操，承繼任務。」

周曙不去理她，「讓我擁抱你，祝你幸福。」

「我還真需要你的祝福。」

他們在一輛兇神惡刹般黑鷹直升機前道別。

子成說：「下次，請帶兒童參觀印象派美術館。」

「我愛你子成。」

「我也是周曙。」

范朋，就差范朋一人回不了家。

子成到大學見講師。

那老好人見到明星學生，有點無奈，「想清楚了？」

「請允許我在六個月內畢業。」

「你儲滿分數便無問題，」他鍵入電腦電視，「尚欠二十一分而已。」

子成輕輕歡呼，「好極了。」

講師吁出一口氣，「終於萬幸留住了你的人，你的心往何處，可與我無關。」

「聽聽這是什麼話。」

「有同學說你要舉行婚禮，是虛是實？」

「我已訂婚，但是畢業之前不會成家。」

「啊，子成你幾時變得如此理智。」

「近朱者赤，近墨者黑。」

「是你未婚夫智慧指引嗎？」

講師聲音雖然愉快，但並沒有太多誠意，當然，這不過是他的工作，班上還有好幾十名學生需要兼顧，不過，一個也不能少，否則，上頭會問他：為何貴子弟全做逃兵？飯碗不保。

這一刻，子成份外想念誠懇自新，她趕回家去，自新卻不在，電話響起，原來母親大人駕到。

「別忙，四時正我們在酒店樓下吃英式茶點。」

原來老媽帶着新助手，蘇銀走了，輪到新人頂上。

子成覺得詫異，因為助手仍稱她叫應太太，她並沒恢復本名，為什麼？

中年女子，「用應太太叫人放心，因為背後有個男人，不怕不正經。」

子成惋惜，「那你就找不到男伴了。」

子成聽見母親歎一聲氣，「我還到何處去找男伴？」

「人生充滿意外際遇。」

「我的要求比較高，像你父親那樣年紀，我會嫌他老。」

子成吃驚，張大嘴巴，什麼，她嫌他老，不是他嫌她憔悴？

「若是老伴，當然不會厭憎：他如走路蹣跚，言語嘮叨，視聽衰退……應當更加痛惜，這是親人責任，可是，我此刻是找新伴侶，實在不想同花甲老翁約會。」

子成試探說：「那麼，我介紹年輕人給你。」

「那更加可笑，我過不了自己那一關。」

子成說：「一個人至要緊自得其樂。」

「我工作得很起勁，說真，還得多謝蘇銀，由她帶我做生意，我發覺英式下午茶大有可為，接着，我會到倫敦走一趟，看清楚這習俗。」

這時，年輕助手興致勃勃說：「茶具十分重要。」

「我們可到古董市場去找一些維多利亞時代水晶座燈，銀製茶具，以及各種瓷器，配搭一下，引顧客入勝。」

助手又說：「如果可能，找一些古董傢具。」

「裝一隻貨櫃，運到東方。」

她們像是注射了興奮劑，談個不停。

子成知道母親其實已經找到男伴，這個男友，她對他好，他一定回報，他不會辜負她，只要她用心用力，他不會叫她失望，他的名字叫工作。

一抬頭，只見自新來了，她給他留言，他立刻趕到。

子成發覺母親的女助手忽然停止說話，凝視自新，臉上露出複雜情緒：艷羨、

意外、妒忌，接着，收斂起目光。她在想什麼？

可是在想：我也是一個標致聰敏的年輕女子，可是，我卻從未遇到如此優秀男生？

子成警惕，呵，真要小心看牢身邊這個人，真要知道應子成是個幸運的女子。

這時，母親自手袋裏取出一隻紅封包，「自新，子成，這是給你們的小小禮物。」

自新連忙說：「媽媽，我們自己還有一點節蓄。」

應太太答：「聽到這話我就放心。」

子成卻接過紅包，放進口袋。

自新看她一眼。

她微笑：「what？」

自新說：「這是你最後一次勒榨娘家。」

子成笑答：「說明是娘家，永久供應。」

女助手又投來羡慕眼光。

子成覺得幸福不宜招搖，以免招致他人不安。

她對母親說：「祝你大展鴻圖，有空來看我們。」

「我會時時穿梭兩地。」

自新感喟：「這十年八載，新移民真的成為太平洋東西兩岸的橋樑。」

他倆鄭重向母親道別。

他們走了，女助手忍不住說：「世上原來真有幸福戀人。」

應太太笑笑，「你看人好，人看你好，看上去都很好，還想怎樣？」

女助手意外，「啊？」

「這個世紀的婚禮，我想已無可能是一輩子的事，不過，也不能因噎廢食，年輕人總還得結婚。」

助手說：「請記得給我帖子，我想見識場面。」

「他們決定不舉行任何儀式，即不請客不穿白紗不上教堂，只會註冊簽字。」

好不意外，助手滿以為嬌縱的應子成會得在盛大婚禮戴上鑽冠。

「他們有他們想法。」

這時，助手的心情略為平復。

那天晚上，約莫半夜時分，子成驚醒，看到房外有燈光，以為自新沒睡好，起來聽音樂。

她下床出寢室去陪自新說話，可是，房門處並不是她的家，而是一座軍營。

子成吃驚，回頭，寢室門已經不見，她知道是個夢，只得任其發展。

背後有人叫她，她轉過頭，看到范朋坐在輪椅上，他一臉親切笑容，輕輕說：「我來祝賀你。」他的聲音，同子成想像中一模一樣動聽。

子成在不遠處站着，忍不住落下淚來。

范朋問：「你看到我的戰地書了？」

子成點頭，「我永誌在心。」

「一個人獨自在戰場上，又不良於行，情況特殊，感觸良多。如果令你情緒不安，懇請原諒。」

子成問：「范朋，你好嗎？」

「我平安喜樂。」

子成輕輕說：「那我就安心了。」

這時，忽然有人推她，子成不捨得離開，「讓我再多講幾句。」

可是那股力道不肯讓她留在軍營，使勁地推她出外。

子成哎呀一聲驚醒。

自新扶起她，「子成，你怎麼了？」

原來子成自床上跌到地下，肩膀疼痛。

「似小孩一樣，居然摔下床來。」

「是，真羞愧。」

「沒有摔痛吧。」

子成抱怨，「你去了哪裏？」

「我在書房備課。」

「別再離開我。」

「永不，我們這些出過戰場又回家的人，特別珍惜身邊人。」

（全書完）

亦舒系列 • 亦舒系列 • 亦舒系列

1.荳芽集 (散文)
2.荳芽集二集 (散文)
3.荳芽集三集 (散文)
4.家明與玫瑰 (短篇)
5.玫瑰的故事 (長篇)
6.自白書 (散文)
7.珍　珠 (中篇)
8.曼陀羅 (長篇)
9.薔薇泡沫 (長篇)
10.留英學生日誌 (散文)
11.獨身女人 (中篇)
12.舒雲集 (散文)
13.舒服集 (散文)
14.我的前半生 (長篇)
15.寶　貝 (短篇)
16.星之碎片 (中篇)
17.香雪海 (長篇)
18.歇腳處 (散文)
19.販駱駝誌 (散文)
20.兩個女人 (長篇)
21.藍鳥記 (短篇)
22.黑白講 (散文)
23.風信子 (中篇)
24.喜　寶 (長篇)
25.野孩子 (長篇)
26.回南天 (短篇)
27.五月與十二月 (短篇)
28.今夜星光燦爛 (短篇)
29.偶　遇 (短篇)
30.自得之場 (散文)
31.開到荼蘼 (長篇)
32.舊歡如夢 (短篇)
33.花事了 (短篇)
34.散　髮 (短篇)
35.暮 (短篇)
36.過　客 (短篇)
37.戲 (短篇)
38.心之全蝕 (中篇)
39.退一步想 (散文)
40.壁　人 (短篇)
41.她比煙花寂寞 (長篇)
42.可人兒 (中篇)
43.白衣女郎 (短篇)
44.傳　奇 (短篇)
45.胭　脂 (長篇)
46.今夜不 (短篇)
47.刹那芳華 (散文)
48.琉璃世界 (短篇)
49.杜鵑花日子 (短篇)
50.小火焰 (中篇)
51.不要放棄春天 (短篇)
52.哀綠綺思 (短篇)
53.蝴蝶吻 (短篇)
54.無才可去補蒼天 (散文)
55.曾經深愛過 (長篇)
56.豈有豪情似舊時 (散文)
57.阿細之戀 (短篇)
58.雨　花 (中篇)
59.朝花夕拾 (長篇)
60.我　醜 (中篇)
61.我之試寫室 (散文)
62.藍這個顏色 (中篇)
63.惱人天氣 (短篇)
64.沒有月亮的晚上 (長篇)

亦舒系列 • 亦舒系列 • 亦舒系列

65.貓兒眼	(短篇)
66.拍案驚奇	(中篇)
67.請勿收回	(中篇)
68.精　靈	(短篇)
69.紅鞋兒	(短篇)
70.圓　舞	(長篇)
71.試　練	(短篇)
72.戀　後	(短篇)
73.且自逍遙沒誰管	(散文)
74.金環蝕	(短篇)
75.安琪兒寫照	(短篇)
76.小玩意	(長篇)
77.樂未央	(散文)
78.玉梨魂	(中篇)
79.伊　人	(短篇)
80.綺　惑	(長篇)
81.一個夏天	(短篇)
82.說故事的人	(短篇)
83.流金歲月	(長篇)
84.一段雲	(短篇)
85.花裙子	(短篇)
86.異鄉人	(長篇)
87.忽爾今夏	(長篇)
88.歎息橋	(長篇)
89.得魚忘荃	(散文)
90.莫失莫忘	(中篇)
91.意綿綿	(散文)
92.人淡如菊	(長篇)
93.西岸陽光充沛	(長篇)
94.有過去的女人	(中篇)
95.石榴圖	(長篇)
96.說明書	(散文)
97.可是當年人面	(散文)
98.譬如朝露	(中篇)
99.風滿樓	(長篇)
100.滿院落花簾不捲	(中篇)
101.紅的燈綠的酒	(短篇)
102.烈　火	(長篇)
103.古老誓約	(中篇)
104.七姐妹	(長篇)
105.玻璃珠的歎息	(短篇)
106.紫微願	(長篇)
107.三個願望	(中篇)
108.封　面	(短篇)
109.阿修羅	(長篇)
110.推薦書	(散文)
111.我們不是天使	(長篇)
112.小朋友	(短篇)
113.一把青雲	(長篇)
114.男男女女	(短篇)
115.練習本	(散文)
116.聽我細說	(短篇)
117.傷城記	(長篇)
118.迷迭香	(長篇)
119.鐘　情	(短篇)
120.癡情司	(長篇)
121.賣火柴女孩	(短篇)
122.連　環	(長篇)
123.鏡　子	(短篇)
124.弄潮兒	(長篇)
125.慰寂寥	(短篇)
126.預　言	(長篇)
127.美麗的她	(短篇)
128.表態書	(散文)

亦舒系列 • 亦舒系列 • 亦舒系列

129.美麗新世界 (長篇)
130.晚　兒 (短篇)
131.一千零一妙方 (長篇)
132.金粉世界 (短篇)
133.求真記 (短篇)
134.心扉的信 (長篇)
135.仲夏日之夢 (短篇)
136.變　遷 (短篇)
137.生活誌 (散文)
138.不要愛上她 (短篇)
139.小宇宙 (長篇)
140.沒有季節的都會 (長篇)
141.老閑話 (散文)
142.表　演 (短篇)
143.他人的夢 (短篇)
144.尋芳記 (長篇)
145.天若有情 (長篇)
146.縱橫四海 (長篇)
147.年輕的心 (短篇)
148.假夢真淚 (長篇)
149.銀　女 (長篇)
150.天秤座事故 (長篇)
151.流　光 (短篇)
152.生活之旅 (長篇)
153.月亮背面 (短篇)
154.變形記 (長篇)
155.皮　相 (散文)
156.在那遙遠的地方 (長篇)
157.藍色都市 (短篇)
158.寂寞夜 (短篇)
159.絕對是個夢 (長篇)
160.禿　筆 (散文)
161.如何說再見 (長篇)
162.燈火闌珊處 (長篇)
163.偷　窺 (短篇)
164.紅　塵 (長篇)
165.仕女圖 (短篇)
166.舊　雨 (散文)
167.不易居 (長篇)
168.鏡花緣 (長篇)
169.隨　想 (散文)
170.承歡記 (長篇)
171.三小無猜 (短篇)
172.寒武紀 (散文)
173.密　碼 (短篇)
174.隨　意 (散文)
175.寂寞鴿子 (長篇)
176.隨　心 (散文)
177.憔悴三年 (短篇)
178.美嬌嬝 (長篇)
179.隨　緣 (散文)
180.綺色佳 (長篇)
181.我　心 (短篇)
182.等　待 (短篇)
183.花解語 (長篇)
184.真男人不哭泣 (長篇)
185.錯先生 (短篇)
186.假使蘇西墮落 (長篇)
187.我愛，我不愛 (長篇)
188.女　神 (短篇)
189.鄰室的音樂 (長篇)
190.請你請你原諒我 (短篇)
191.直至海枯石爛 (長篇)
192.黑　羊 (長篇)

亦舒系列 • 亦舒系列 • 亦舒系列

193.老房子 (短篇)
194.不羈的風 (長篇)
195.故　園 (長篇)
196.手倦拋書午夢長 (散文)
197.尋找失貓 (短篇)
198.寂寞的心俱樂部 (長篇)
199.緊些，再緊些 (短篇)
200.如果牆會說話 (長篇)
201.這雙手雖然小 (長篇)
202.天上所有的星 (長篇)
203.要多美麗，就多美麗 (長篇)
204.幽靈吉卜賽 (長篇)
205.我答應你 (短篇)
206.印度墨 (長篇)
207.蟬 (長篇)
208.艷陽天 (長篇)
209.一個女人兩張床 (短篇)
210.只有眼睛最真 (長篇)
211.小人兒 (長篇)
212.明年給你送花來 (長篇)
213.一點舊一點新 (長篇)
214.她成功了我沒有 (短篇)
215.悄悄的一線光 (長篇)
216.吃南瓜的人 (長篇)
217.花常好月常圓人長久(長篇)
218.小紫荊 (長篇)
219.同　門 (長篇)
220.我確是假裝 (短篇)
221.這樣的愛拖一天是錯一天 (長篇)
222.噓—— (長篇)
223.她的二三事 (長篇)
224.月是故鄉明 (散文)
225.早上七八點鐘的太陽 (長篇)
226.鄰居太太的情人 (長篇)
227.如果你是安琪 (短篇)
228.紫色平原 (長篇)
229.我情願跳舞 (長篇)
230.只是比較喜歡寫 (散文)
231.電光幻影 (長篇)
232.蓉島之春 (長篇)
233.愛可以下載嗎 (短篇)
234.雪　肌 (長篇)
235.特首小姐你早 (長篇)
236.葡萄成熟的時候 (長篇)
237.此一時也彼一時也 (散文)
238.剪刀替針做媒人 (長篇)
239.乒　乓 (長篇)
240.恨　煞 (長篇)
241.孿　生 (長篇)
242.漫長迂迴的路 (長篇)
243.忘記他 (短篇)
244.愛情只是古老傳說 (長篇)
245.迷　藏 (長篇)
246.靈　心 (長篇)
247.大　君 (長篇)
248.眾裏尋他 (長篇)
249.吻所有女孩 (長篇)
250.尚未打烊 (散文)
251.一個複雜故事 (長篇)
252.畫皮 (長篇)
253.愛情慢慢殺死你 (長篇)
254.你的素心 (長篇)
255.地盡頭 (長篇)
256.有時他們回家 (長篇)

S0-ALB-693